『カフェ』と聞くだけで
どうしてこんなに心が弾んでしまうのだろう。
「どこに行こうか？」
「どんなふうに過ごそうか？」
そんなことを考えると
なんだか気持ちも軽やかになってくる。
それはきっと、カフェに行くと決めた瞬間から、
しあわせなカフェ時間が
はじまっているからなのかもしれない。

そんな心地良いしあわせのはじまりに
札幌の素敵なカフェ探しのパートナーとして
この本が役立ちますように。

68 スイーツコラム❷ 進化してゆく 和菓子

季の菓子工房 しゅう …… 68

えにかいたもち ～札幌のおもち専門店～ …… 68

69 夜に行きたいカフェ

銀珈琲店 …… 70

薄野喫茶 パープルダリア …… 72

Cafe&Bar 日晴堂 …… 74

ハリネズミ珈琲店 …… 76

髙橋バーガー …… 78

FAbULOUS …… 80

KoDoNa Cafe …… 82

パフェ、珈琲、酒、佐々木 …… 84

inZONE TABLE …… 86

CAFÉ de ROMAN 藻岩店 …… 88

90 自然豊かな緑が印象的なカフェ

Flower green&café Parsli …… 90

カフェと石窯パンのお店 あゆんぐ …… 94

花論珈琲茶房 藻岩本店 …… 98

カフェ 崖の上 …… 100

紅櫻珈琲 …… 102

104 スイーツコラム❸ スイーツと中華がコラボした 異業種のスイーツ店

布袋スイーツ 毘沙門天 …… 104

105 シーンで選ぶカフェ 「モーニング」、「異国スイーツ」、「BOOKカフェ」

カフェdeごはん …… 106

wake cafe …… 108

喫茶つばらつばら クラシック …… 110

ソウルテラス …… 112

sal coffee …… 114

台湾茶&台湾食 LOVE TEA …… 116

WORLD BOOK CAFE …… 118

LAMP LIGHT BOOKS CAFE …… 120

MJ BOOK CAFE …… 122

124 エリア別INDEX

126 SHOP NAME INDEX

※営業日や営業時間、座席数など変更になる場合がありますので事前に各店舗へお問い合わせください。

CONTENTS

2 まえがき

4 コンテンツ

6 さっぽろMAP

8 HOW TO USE

9 スイーツ&ドリンクが美味しいカフェ

けんちくとカフェ kanna …… 10

HARVEST MOON …… 12

MaShu 神宮の杜 …… 14

菓子と喫茶 SIROYA …… 16

紫陽花珈琲 …… 18

春楡珈琲 …… 20

COFFEE STAND 28 …… 22

Patisserie cafe L'Or …… 24

pudding maruyama …… 26

SIX COFFEE&CHOCOLATE …… 28

Sagesse et histoire …… 30

32 歴史ある建築の空間で楽しめるカフェ

北菓楼 札幌本館 カフェ …… 32

cafe&dining bar Insomnia …… 36

和洋折衷喫茶 ナガヤマレスト …… 40

サッポロ珈琲館 平岸店 …… 42

Café&Bar ROGA …… 44

46 スイーツコラム❶ フランスの伝統菓子 カヌレ

LA MAISON NOLLYS …… 46

Tapio …… 46

47 ランチ使いしたいカフェ

絆珈琲店 …… 48

conifer …… 50

Rain MIYANOSAWA …… 52

カフェ エッシャー …… 54

パーラートモミ …… 56

ZOU CAFE …… 58

あめつち by 35stock …… 60

神野喫茶店 × JINNO COFFEE …… 62

Café ZIKKA …… 64

シュシュウルフ 歯のいらないハンバーグ …… 66

札幌 カフェ時間 こだわりのお店案内

さっぽろMAP

スイーツ＆ドリンクが美味しいカフェ

10 けんちくとカフェ kanna
12 HARVEST MOON
14 MaShu 神宮の杜
16 喫茶とカフェ SIROYA
18 紫陽花珈琲
20 春楡珈琲
22 COFFEE STAND 28
24 Patisserie cafe L'Or
26 pudding maruyama
28 SIX COFFEE&CHOCOLATE
30 Sagesse et histoire

夜に行きたいカフェ

70 銀珈琲店
72 薄野喫茶 パープルダリア
74 Cafe&Bar 日晴堂
76 ハリネズミ珈琲店
78 髙橋バーガー
80 FAbULOUS
82 KoDoNa Cafe
84 パフェ、珈琲、酒、佐々木
86 inZONE TABLE
88 CAFÉ de ROMAN 藻岩店

ランチ使いしたいカフェ

48 絆珈琲店
50 conifer
52 Rain MIYANOSAWA
54 カフェ エッシャー
56 パーラートモミ
58 ZOU CAFE
60 あめつち by 35stock
62 神野喫茶店 × JINNO COFFEE
64 Café ZIKKA
66 シュシュウルフ 歯のいらないハンバーグ

シーンで選ぶカフェ

106 カフェdeごはん
108 wake cafe
110 喫茶つばらつばら クラシック
112 ソウルテラス
114 sal coffee
116 台湾茶&台湾食 LOVE TEA
118 WORLD BOOK CAFE
120 LAMP LIGHT BOOKS CAFE
122 MJ BOOK CAFE

歴史ある建築の空間で楽しめるカフェ

32 北菓楼 札幌本館 カフェ
36 cafe&dining bar Insomnia
40 和洋折衷喫茶 ナガヤマレスト
42 サッポロ珈琲館 平岸店
44 Café&Bar ROGA

自然豊かな緑が印象的なカフェ

90 Flower green&café Parsli
94 カフェと石窯パンのお店 あゆんぐ
98 花論珈琲茶房 藻岩本店
100 カフェ 崖の上
102 紅櫻珈琲

スイーツコラム

46 ❶LA MAISON NOLLYS
46 ❶Tapio
68 ❷季の菓子工房 しゅう
68 ❷えにかいたもち
～札幌のおもち専門店～
104 ❸布袋スイーツ 毘沙門天

HOW TO USE

本書の使い方

本書では札幌市内のカフェを「スイーツ&ドリンクが美味しいカフェ」、「ランチ使いしたいカフェ」、「夜に行きたいカフェ」、「シーンで選ぶカフェ」のカテゴリーに加え、番外編として「歴史ある建築の空間で楽しめるカフェ」、「自然豊かな緑が印象的なカフェ」の6カテゴリーに分けて紹介しています。

A お店のおすすめメニューや、おすすめのテイクアウト商品を紹介しています。内容や価格は変更になる場合があります。ご了承ください。

B
- スイーツメニューの有無
- フードメニューの有無
- アルコールの有無
- テイクアウト・物販などの有無
- フリーWi-Fiの有無

C
- ㊟ 住所
- ☎ 電話番号
- 営 営業時間(LO:ラストオーダー、M:モーニング、C:カフェ、L:ランチ、D:ディナー)
- 休 定休日(年末年始は省略の場合あり)
- 席 席数
- Ⓟ 駐車場の有無(ある場合は台数と有料・無料を表示)
- Ⓒ クレジットカード利用の可不可
- Instagramのユーザー ID

本書に記載されている情報は2022年8月現在のものです。メニューについては季節により変更の場合があります。メニューや商品の価格は税込で表記しています。また、消費税の税率改正により価格が変更となる場合がございます。営業日や営業時間、席数等が変更、また一時的に予約制となる場合等もありますので、事前にお店へのご確認をお願いいたします。

スイーツ
&
ドリンクが
美味しいカフェ

ゆったりとした時間が流れる 建築設計事務所併設のカフェ

けんちくとカフェ kanna《けんちくとカフェ カンナ》

北区

ＪＲ新川駅と地下鉄南北線北34条駅の間に位置する、住宅街の中に建つツタが特徴的なカフェ。おしゃれな木の扉を開くと木調の床と白い壁が印象的な空間が出迎えてくれる。2度の移転を経て2014年に現在の場所に移転。築51年の古民家をリノベーションした店内は、当時に使われていた土間などの特徴を生かしつつ、壁を白く塗装したり、2階への階段に鉄の手すりを付けたりと、モダンな雰囲気を感じられるのも魅力の一つ。

見た目もかわいいケーキは、南区真駒内にある洋菓子店「ボンフィ」のものを提供。定期的に変わるケーキを求めて訪れる常連も。手作りのスープとベーグル、副菜が楽しめるセットのランチもぜひ。

①木苺の甘酸っぱいスポンジとクリームが楽しめる「木苺のチェッカーケーキ」¥360は「深煎りブレンド」¥500との相性も抜群
②季節のケーキより「夏のタルト」¥480と「マカロン」¥250
③雪をモチーフにしたデザインが印象的な「カフェラテ」¥550

壁一面に国内外の建築に関する本が。奥（入口横）のスペースはカウンター席になっていて、窓越しの緑を楽しむゲストも

おすすめmenu

- ランチセット ¥700
- 道産の
ブラックベリーのソーダ ¥560
- ほうじ茶ラテ ¥550

ツタに覆われた
白い壁が目を引く外観

住 札幌市北区北28条西11丁目11-1
☎ 011-802-9901
営 11:30〜16:00
休 火曜〜木曜
席 10席
P あり（4台・無料）　C 不可
地下鉄南北線「北34条」駅5番出口より
徒歩約20分
@kannacafe_

天井が高い開放感のある
2階席も人気

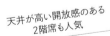

豊富なスイーツと食事メニュー　満月をモチーフにしたカフェ

HARVEST MOON《ハーベスト ムーン》

北区

自動販売機でスイーツ缶も扱っている、2022年にオープンしたパティスリー&カフェ。ケーキ工房を直営して、焼きたてパンや出来立てのケーキ、お菓子を提供している。ケーキは約20種類ほどが並び、そのうち3~4種類が季節限定。スイーツを手掛けるのは、東京とフランスで腕を磨いてきたパティシエの小林さん。華やかさを大切にしつつ、甘すぎず、毎日でも飽きずに食べられるので子どもから大人まで楽しめる。

メニューが豊富で1度では選びきれず、また来ようと思ってしまうほどのラインナップ。食事メニューも充実しており、軽食からランチ、スイーツを気軽に楽しめ、テイクアウトまで幅広く利用できる、使い勝手が良い一軒だ。

①イートイン限定の「ナポレオンパイ」¥700
②12種類の野菜を使った「野菜たっぷりキーマカレー」¥900。彩り鮮やかでたっぷり野菜が摂れ、ボリューム満点
③こだわりのクリームに、季節のフルーツをふんだんにサンドした「ハーベストショートケーキ」¥500、「アイスコーヒー」¥420。「ケーキセット」なら¥800で楽しめる

店内には、ショーケースに並ぶケーキをはじめ、入口すぐ正面に焼き菓子コーナーを設置。アップルパイを含む5種類ほどのベイク、ギフトボックスを用意

カフェスペースも併設したスイーツ店

住 札幌市北区北11条西3丁目1-1 ドエル札幌北11条1F
☎ 011-299-9958
営 10:30～21:00（LO20:30）
休 水曜　席 35席
P なし　C 可
地下鉄南北線「北12条」駅
1番出口より徒歩約3分
@harvest_moon0114

take out menu

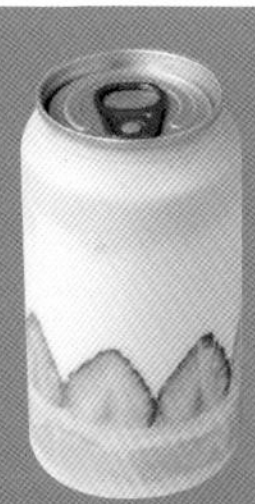

ケーキ缶
¥750

道産りんごといちごのショートケーキ。店前の自動販売機で24時間購入可

和の趣に包まれた店内は、窓から眺める四季折々の景色も素敵。一角には作家が手掛けた雑貨と衣類を販売

神宮の杜を望む贅沢な空間で 素材のよさを感じるスイーツを

MaShu《マシュー》 神宮の杜《じんぐうのもり》

円山

円山公園の原生林を望む一軒家カフェ。店内は和の趣が漂う落ち着いた雰囲気に包まれている。2階はギャラリースペースになっていて、作品等が展示されている。

人気のバターサンドは、保存料や合成着色料を一切使わず、道産小麦とてんさい糖で焼き上げ、抹茶小豆、プラリネ、ラズベリー、チョコレート、塩キャラメルに加え、季節限定のメニューも用意。北海道産牛乳で作るコクのあるソフトクリームは、オリーブオイルにブラックペッパー、岩塩を合わせた複雑な味わいが口にひろがる。作家の作品のプレートを使った、美しい盛り付けも魅力的。全てのメニューはテイクアウトできるので、公園を散策する途中に利用するのも良いだろう。

①芸術性と遊び心を感じる盛り付けの「2つの小さなバターサンドとソフトクリームのお皿」¥850、「オーガニックコーヒー」¥700
②「季節のパフェ」¥1,200。取材時のレモンパフェは、自家製レモンゼリー、レモン果汁入りジェラート、ソフトクリームなど素材にこだわった一品
③「オーガニックハーブティー」¥700

take out menu

Mashu
オリジナル
バターサンド
（6個入）
¥3,140

フレーバーは「プラリネ」、「チョコレート」、「ピスタチオ」、「抹茶小豆」、「ラズベリー」、「塩キャラメル」

アメリカ合衆国領事館の
右並びに立地

住 札幌市中央区北1条西28丁目3-5
☎ 011-616-3171
営 10:00～18:00
休 月曜（祝日の場合は営業、翌火曜休）、第3火曜
席 20席　Ⓟ あり（3台・無料）　Ⓒ 可
地下鉄東西線「円山公園」駅3番出口より徒歩約5分
@mashu_sweetstea

店内の所々に作家さんの
木彫りの熊が飾られている

大通

賞味期限は約10分の新食感ふわふわスイーツ

菓子と喫茶《かしときっさ》 SIROYA《シロヤ》

「SIROYAのクレームダンジュ」¥1,200。フルーツ感の強い甘めのソースやチーズグラノーラのサクサク感がアクセント。ふわふわの食感のダンジュ内にあるアイスクリームとの温度差も楽しんで

「白い恋人」などを販売するISHIYAがプロデュースする「22%MARKET」内のカフェが2022年6月に開業。

従来のISHIYAが提供してきた商品は一切使わず、カッテージ、クリーム、マスカルポーネ、ブッラータなどの北海道産のチーズを使用したオリジナルスイーツを提供。中でも注目したいのが、北海道産のフロマージュブランを使った、口の中でふわっととけていくような感覚が楽しめる賞味期限約10分の純白のクレームダンジュ。ほかにもスキレットで焼き上げるパンケーキと、カスタードプリンをミックスしたようなフレッシュフロマージュ入りのふわふわモッチリ食感のダッチクラフティもぜひ楽しみたい。

①

②

③

①ほっこりくつろげるような温かみのある店内
②クリーミーなブッラータチーズを乗せたぜいたくな「ダッチクラフティ(生ハム&ブッラータ)」¥1,600
③フルーツとフロマージュ、アイスを合わせた3種の「グラスパフェ」各¥850

22%MARKETを入って左側、
漢字の「白」をイメージしたロゴが目印

住 札幌市中央区大通西4丁目6-1
大通西4ビルB2F 22%MARKET内
☎ 080-8286-3289
営 10:00〜19:00(LO18:30)
休 年末年始
席 30席
P なし　C 可
地下鉄「大通」駅直結
@22percent_market_

おすすめmenu

- ダッチクラフティ (いちご&ダンジュ)　¥1,400
- クリームチーズといちごのホワイトティラミス　¥1,400
- 飲むチーズケーキ (ティラミス、レア、ベイクド) 各¥700
- クロックムッシュのサラダプレート　¥1,300

心地よい雰囲気の中で味わう 珠玉のパンケーキと自家焙煎コーヒー

紫陽花珈琲《あじさいこーひー》

「リコッタパンケーキ」¥770～。写真はミックスベリーソース、イチゴ、サービスアイストッピングのドリンクセットで￥1,430

円山西町エリアにあるハンドピックで丁寧に選別した生豆を自家焙煎したコーヒーと、素材にこだわった自家製スイーツが楽しめるお店。

　同店の看板メニューは道産牛乳を使った自家製リコッタチーズで作るふわふわっトロトロとした食感の「リコッタパンケーキ」。プレーンタイプでも充分のおいしさだが、ミックスベリーやキャラメルなど6種類のソース（各110円）に5種のトッピング（各220円）を加えてお好みのパンケーキにするのがおすすめ。プラス300円のドリンクセットにした場合は、アイスクリームが無料でトッピング可能なのも嬉しい。コーヒーはブレンド5種にストレートが4種、ほかアレンジコーヒーも多彩だ。

①木と珪藻土をふんだんに使った店内。2階席のほか、3階席も人気
②「自家焙煎珈琲」¥605～※写真は「マイルド」
③サラダやドリンク、デザートがセットになった10食限定の「自家製デミグラスソースのオムライスセット」¥1,375

藻岩山麓通にある
コンクリートの建物が目印

㊟ 札幌市中央区円山西町7丁目1-8
☎ 011-215-5101
㊫ 11:00～19:00（LO18:00）
㊡ 水曜※他不定休有
席 35席
Ⓟ あり（8台・無料）　Ⓒ 可
JRバス「円山西町3丁目」停下車、徒歩約3分

take out menu

ドリップコーヒー
各¥130
同店の味を手軽に楽しめる。マイルドとフレンチの2種類

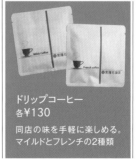

一息つきたいときに味わいたい 手作りケーキと自家焙煎コーヒー

春楡珈琲《はるにれこーひー》

「ケーキセット」¥950。写真の「春楡日和」は、キャラメル&コーヒー風味のバタークリームの組み合わせが共鳴しあうケーキ

自家焙煎コーヒーと手作りケーキを提供するカフェ。長く札幌のカフェ業界に携わってきた春日さんご夫妻が「ふらりと立ち寄れる喫茶店をもちたい」と夢を叶え、2022年にオープン。グリーンの壁が素敵な店内では、注文ごとにネルドリップで抽出するコク深い自家焙煎コーヒーの香りが漂う。ともに味わいたいケーキは、バターやアーモンドプードルを多めに加えることで、甘さ控えめながらもリッチな味わい。しっかりと固めで濃厚なプリンも幅広い世代に好まれている。

　二人とも調理師の資格を持っているため、人気のオムライスなど、しっかりとした食事が終日楽しめるのも魅力。大きな窓から、やわらかな日が差し込む店内で心ゆくまで楽しんでみたい。

①店内は、札幌の景観色「楡（えるむ）」をイメージしたやわらかなグリーンが心地良い
②自家製シロップの「ストロベリーミントソーダ」¥650
③「春楡特製オムライス（ミニサラダ付）」¥950。ふわふわオムレツとチキンライスを味噌ベースのデミグラスソースで

窓から大きな街路樹が眺められ
季節の移ろいも感じられる

住 札幌市中央区南4条西9丁目
栄輪ビル1F
☎ 011-596-0380
営 11:00〜20:00
休 木曜、第2·4水曜ほか
席 16席　P なし　C 不可
地下鉄東西線「西11丁目」駅
3番出口より徒歩約7分
@harunire_coffee

おすすめmenu

- 今月のパスタ ¥950
- おとなプリン ¥420
- 小春ブレンド
（中深煎り） ¥550
- 楡影ブレンド
（深煎り） ¥550

豆の特徴を活かした地域で人気の スペシャルティコーヒー専門店

コーヒースタンド28

COFFEE STAND 28

白石区

大きな通りから一本入った、静かな住宅街に建つコーヒースタンド。落ち着いた雰囲気の店内は、毎日多くの幅広い世代のゲストで賑わう。「コーヒー豆の特徴を活かした焙煎を心掛けています。苦いだけではなく、飲んで面白い味わいをぜひお楽しみください」と語るのは、国際的なコーヒー鑑定士資格「CQI認定Qグレーダー」を持つ店主の山口江夏さん。

メインのスペシャルティコーヒーは、個性豊かな自家焙煎の豆を8〜10種類を扱っていて、一杯ずつ丁寧に仕上げてくれる。また、コーヒーのお供に自家製のパウンドケーキをはじめ、カヌレなどの焼き菓子も用意。ほっと一息ついて、ゆったりとカフェタイムを過ごしてみては。

①「チョコレートブラウニー」¥280、
「ドリップコーヒー」¥420
②おすすめの「カフェラテ」¥490。
やさしい味わいが魅力
③小さなショーケースには、日替わりの手作り焼き菓子たちが並ぶ

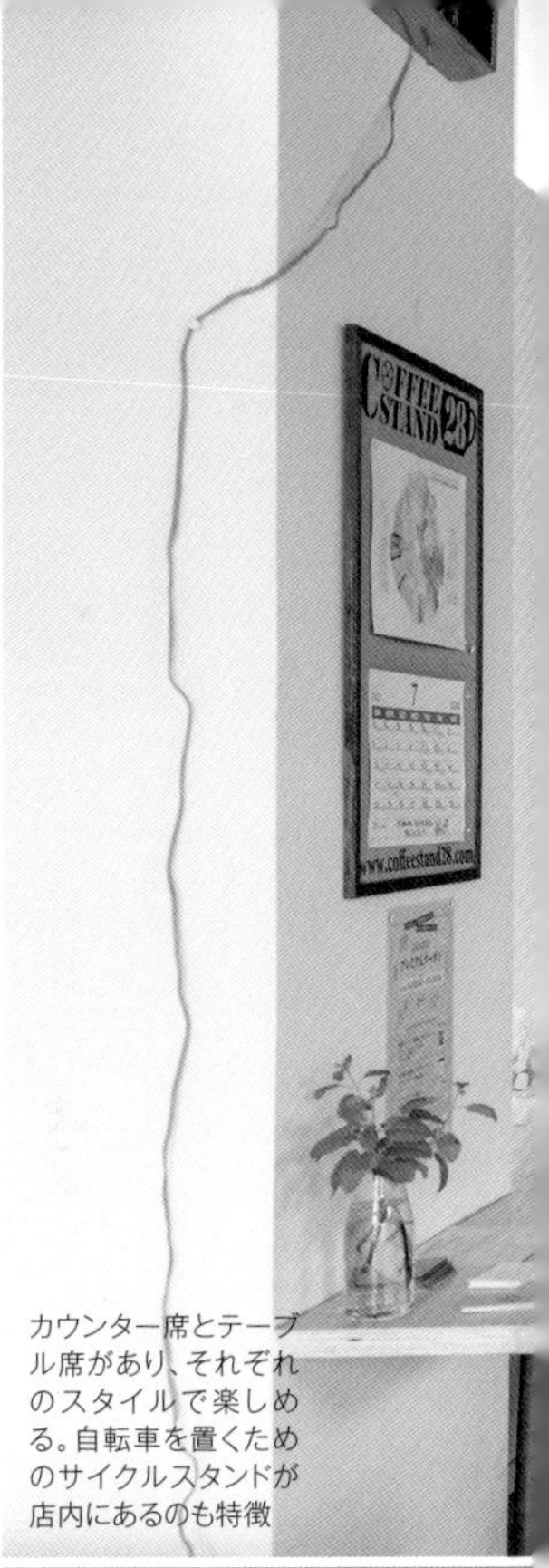

カウンター席とテーブル席があり、それぞれのスタイルで楽しめる。自転車を置くためのサイクルスタンドが店内にあるのも特徴

take out menu

ドリップバック
1パック
各¥150

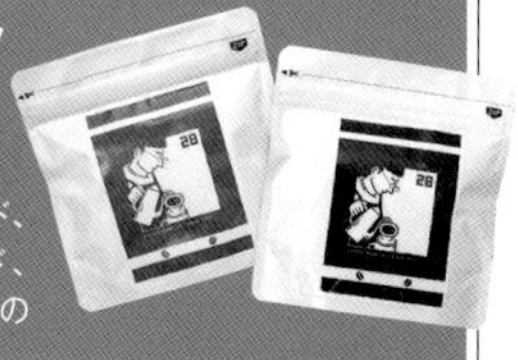

マイルドブレンド、ビターブレンド、カフェインレスの3種を用意

住宅街の小道にある
人気の隠れ家カフェ

住 札幌市白石区栄通18丁目6-5
☎ 011-876-0729
営 8:00〜18:00
（土・日曜、祝日は10:00〜17:00）
休 木・金曜　席 18席
P あり（1台・無料）　C 不可
地下鉄東西線「南郷18丁目」駅3番出口より徒歩約5分
@coffeestand28

コーヒー豆の魅力を最大限に
引き出す半熱風式の焙煎機

ティーブレークも華やかに。円山エリアで人気のスイーツ

Patisserie《パティスリー》 cafe《カフェ》 L'Or《ロール》

ランチとデザートを一緒に贅沢に楽しめる
「アフタヌーンティーセット」1人￥2,480。
（写真は2人用）。3日前までに要予約

地下鉄東西線円山公園駅近くにあるパティスリーカフェ。紅茶と共にティースタンドの軽食やスイーツを優雅に味わうアフタヌーンティーをカジュアルに楽しめる。

オーナーでシェフパティシエの上口さんは、札幌や神戸のホテルやパティスリーで腕を磨いてきた。ケーキはすべて、器に入った〝ヴェリーヌ風〟。口溶けや食味のバランスを計算し、何層にも重ね合せて作り、通常のカットケーキとはまた異なるおいしさに出合うことができる。本格的なアフタヌーンティーセットは、2つのスタンドにスイーツが彩り豊かに盛り付けられ、マフィンやスコーンなどの軽食も楽しめる。会話を楽しみながら、ゆっくりティータイムを過ごすのがおすすめ。

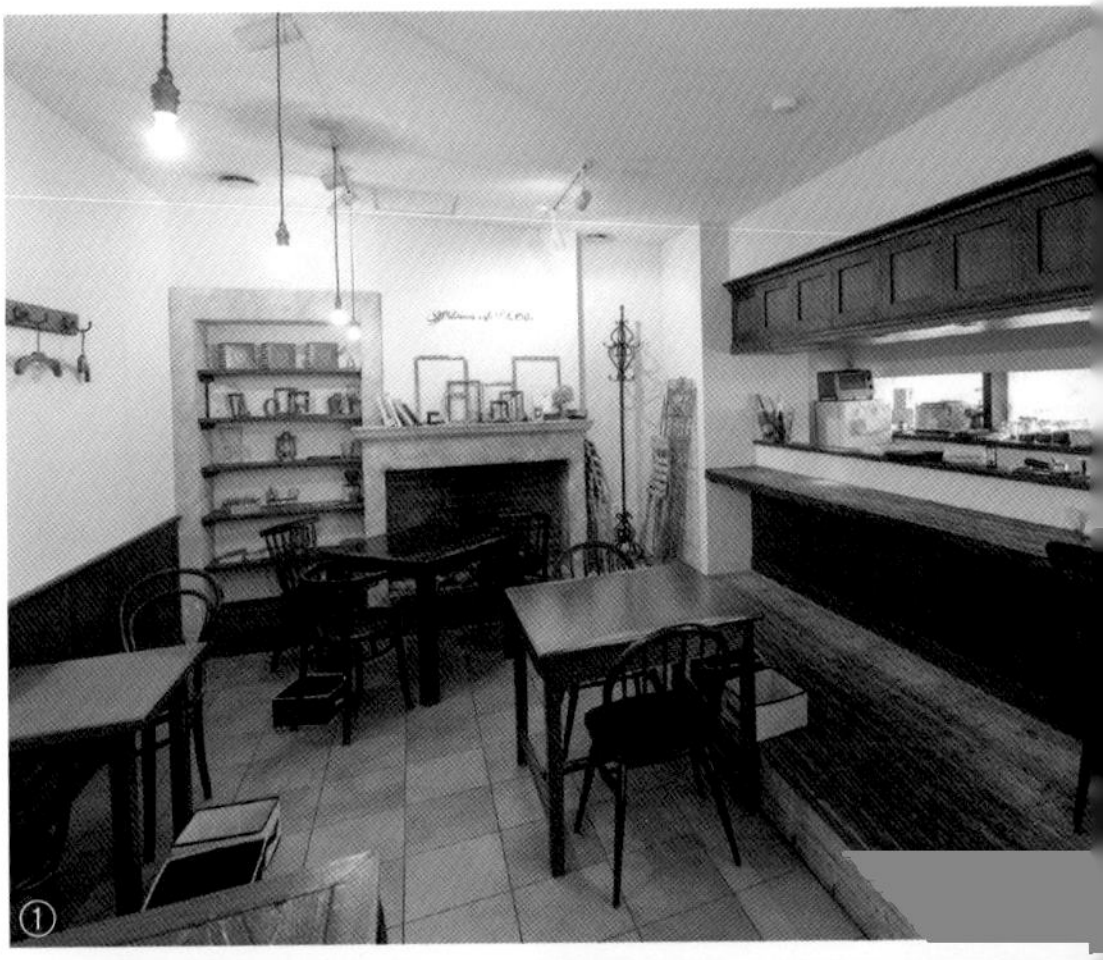

①アンティーク調のカフェスペースは、落ち着いた雰囲気の中でスイーツを楽しめる空間
②ショーケースから選べるケーキ1種のほか、プチスイーツ3点とドリンクが楽しめる「ケーキセット」¥980
③「季節のパルフェ」¥900、ドリンクセット¥1,200。季節のフルーツの酸味とスポンジを使ったケーキみたいなパフェ

マルヤマクラスの北側の
並びにあるシックな建物

住 札幌市中央区南1条西27丁目1-45
円山ブロードハイツ1F
☎ 011-839-2785
営 11:00～18:00(カフェ11:30～LO17:00)
※ケーキが無くなり次第終了
休 月曜(祝日の場合が営業、翌火曜休)
席 11席　P なし　C 不可
地下鉄東西線「円山公園」駅3番出口より
徒歩約1分
@patisserielor

take out menu

ケーキ
(各種)
¥518
なめらかな口どけと
様々な食感を楽しめる
器入りのデザートケーキ

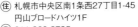

円山

レトロな隠れ家カフェで味わう こだわりミルクたっぷりのプディング

pudding maruyama《プディング マルヤマ》

一番人気の「しっかりカスタードプディング」¥450。喜茂別牧場タカラの「幸せな牛のミルク」を使用した固めのプリン

北円山エリアの住宅街にひっそりと佇む一軒家カフェ。店主の藤原淳さんは、有名ホテルのパティスリー部門をはじめ、カフェレストランなど多彩なジャンルの店で腕を磨いてきた経歴を持つ。

「プディングは素材が全てを決める」と、「喜茂別牧場タカラ」のコクがあり濃厚な「幸せな牛のミルク」をはじめ、こだわりの素材を使用。昔懐かしいしっかりとした固さの「カスタードプディング」をはじめ、「なめらか」、「かっちり」、月替わりなど4種類を用意しているのも魅力。国内メーカーの生パスタで作るナポリタンやレッドカルボナーラ、自家製ベシャメルソースで作るクロックムッシュなどフードメニューも充実している。

①店内には靴を脱いで上がる。レトロで隠れ家的な雰囲気も漂う
②季節のプディング・アラモード」¥1,200。カスタードプリンとミルクジェラート、旬のフルーツが盛りだくさんの贅沢な内容
③ちょっとピリ辛なトマトクリームの「レッドカルボナーラ」¥1,100

おすすめmenu

- プリン
（しっかり、かっちり、なめらか）　各¥450
- 野菜ドリア　¥1,000
- ブレンドコーヒー（4種）　各¥500

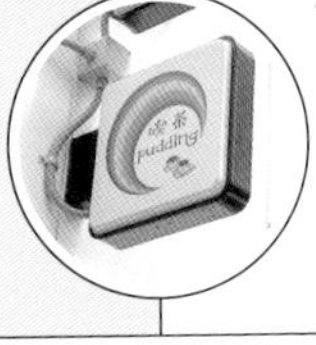

一見、友達の家のような一軒家
レトロな看板を見落とさないで

住 札幌市中央区北5条西24丁目3-5
第55 藤栄ビル1F
☎ 011-590-0989
営 11:00～19:00（LO18:00）
休 火・水曜
席 14席
P あり（2台・無料）　C 可
地下鉄東西線「西28丁目」駅1番出口より
徒歩約7分
@pudding0718

店内はレトロクラッシックを
イメージした装飾も

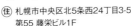

札幌軟石を使用した温かみのある雰囲気の店内。暖炉があり、ゆったりとしたソファでくつろいで、コーヒーやショコラを味わえる

石蔵カフェの温かな空間で味わう こだわりのショコラとコーヒー

SIX COFFEE&CHOCOLATE《シックス コーヒー アンド チョコレート》

南区

南区常盤の「札幌芸術の森美術館」の近くにある人気カフェ。札幌軟石造りの古い蔵を利用した店内では、ダブルローストコーヒーとショコラティエが作る、魅惑のショコラとスイーツが楽しめる。

ショコラは、6カ国のコーヒー豆をオリジナルでブレンドした薪窯でダブルローストした深みのあるコーヒーと相性抜群。本場イタリア・ローマで修行したオーナーが選び抜いた北海道の新鮮な食材を使ったフードメニューのほか、併設する「レ・ディ・ローマプラス」の自慢のジェラートを使ったパフェなど、デザートも楽しめる。また、プレゼントとしても最適なショコラやスイーツも販売。店名にある「6」の付く日は、数量限定の半額デーサービスがある。

①同店の人気メニューがぎゅっと詰まった魅惑のプレート「Charlie -チャーリー-」¥1,350、ドリンクセットは¥1,800
②「Flora -フローラ-」¥1,100。札幌産幻のいちご『さとほろ』のジェラートを使ったこだわりのパフェ
③オリジナルブレンドコーヒー「SIXCOFFEE&CHOCOLATE」¥730。相性の良いショコラ付き

take out menu

コーヒー
ジェリーラッテ
¥650

自家製コーヒーゼリーがたっぷり入ったオリジナルスイーツドリンク

チョコレートショップ、
ジェラートと食事、カフェスペースが集合

住 札幌市南区常盤1条2丁目1-17
☎ 011-215-0016
営 10:00～18:00、イートイン10:00～17:00
(10:00～11:00はドリンクのみ、薪窯使用メニューLO16:00)
休 なし　席 10席
P あり(20台・無料)　C 可
中央バス「常盤橋」停より徒歩約2分
@sixcoffee_chocolate

円山

職人の技術を詰め込んだ 進化するパフェを堪能

Sagesse et histoire《サジェス エ イストワール》

「さくらんぼとホワイトチョコレート」¥1,780。フレッシュのさくらんぼから仕込んだソルベと濃厚なホワイトチョコが主役。軽くマリネしたさくらんぼも美しい

シメパフェの有名店で長く活躍した佐藤智史さんが、より理想とするパフェづくりを実現するために2022年2月に円山エリアで開業。まるで宝石のように美しいパフェは、旬のフルーツに合わせた限定メニューのみ。アイスクリームやソルベをはじめ、チョコやメレンゲなどパーツは全て手作り。使用するフルーツも軽くマリネにしたり、あぶってカラメリゼするなど、ひと手間加えることでパフェの完成度をより高めている。

　パフェの個性をさらに引き立てるドリンクは、ヘレンドやマイセンの器で味わうエスプレッソコーヒーや紅茶のほか、ブランデーやウイスキーなどの酒類も充実。昼はもちろん、家に帰る前の立ち寄りにもぜひ利用したいお店だ。

①モダンでスタイリッシュな空間は一人で訪れるゲストも多い
②しっかりとした苦みと甘さを感じる「エスプレッソ」¥450
③濃厚なショコラアイスとバニラ香る酸味が効いた国産レモンのソルベの饗宴「とても酸っぱい国産レモンとショコラ、オレンジ」¥1,500。ブランデーとも相性抜群※写真は「ポールジローヘリテージ（50年物）」¥3,900

大きな通りから
一本路地に入ってすぐ

住 札幌市中央区大通西24丁目1-2
☎ 非公開
営 13:00〜20:00
休 不定休（詳しくはSNSを確認）
席 8席　P なし　C 可
地下鉄東西線「円山公園」駅
5番出口より徒歩約2分
@seh.parfait

take out menu

カフェアロンジェ ¥500

エスプレッソをお湯（水）割りで。コクが深いながもしっかりとした味わい

歴史ある建築の空間で楽しめるカフェ

悠久の歴史を感じさせる
歴史的建造物の“サロン”

北菓楼《きたかろう》 札幌本館《さっぽろほんかん》 カフェ《カフェ》

大通

優美なアカンサスの飾りが施された旧玄関ホール。2階カフェへの通路として使用されている

1階のショップは、歴史を感じるレンガの壁とモダンなデザインが融合した空間

北海道神宮へと続く札幌の表参道〝北1条宮の沢通〟で、1926(大正15)年、札幌で最初の本格的な道立図書館「北海道庁立図書館」として建てられてから約一世紀。図書館として、美術館としても札幌の人々に親しまれてきた建物が、2016年3月、世界的な建築家・安藤忠雄氏のデザインにより「北菓楼　札幌本館」として生まれ変わった。かつて文化・芸術の発信地であったこの場所は、北海道の新しいサロンとしてお菓子を通じ、訪れるゲストの笑顔があふれる店を目指しているそうだ。

北菓楼の菓子を揃えた1階のショップに加え、三岸好太郎の作品を飾るスペースである「ミギシ・サテライト」が設置され、作品は季節ごとに架け替えられる。3階の高さがある吹き抜けの2階部分には、かつて図書館であった歴史を継承し、東西の両壁面には天井まで届く本棚に約6000冊の本が並ぶカフェスペースがある。開放感のあるカフェでは、道産食材をたっぷり使ったランチやスイーツにゲストたちの笑みがこぼれる。趣のある空間で、ゆったりと過ごしてみては。

上·リノベーションした2階のカフェスペース。天井まで続く書棚には、北海道関連の書籍が置かれている。この奥には建物の歴史を展示したメモリアルルームも
下右·好きなケーキ1品を選べる、ボリュームたっぷりの「ケーキセット（ドリンク付）」¥917
下左·北菓楼自慢の「オムライス」¥1,100。醤油味がベースで、キノコと牛肉が入った人気メニュー

北菓楼 札幌本館 カフェ

札幌市中央区北1条西5丁目1-2
0800-500-0318
11:00〜17:00（LO16:30）
※食事11:00〜14:00／
デザート、ドリンク11:00〜17:00
定休1月1日　30席　駐車場なし
クレジット可　Wi-Fi有
地下鉄「大通」駅7番出口より
徒歩約5分

@kitakaro_official

おすすめ

いちごパフェ ¥917	チョコレートパフェ ¥815
ホタテ·カレー ¥1,223	ソフトクリーム ¥418

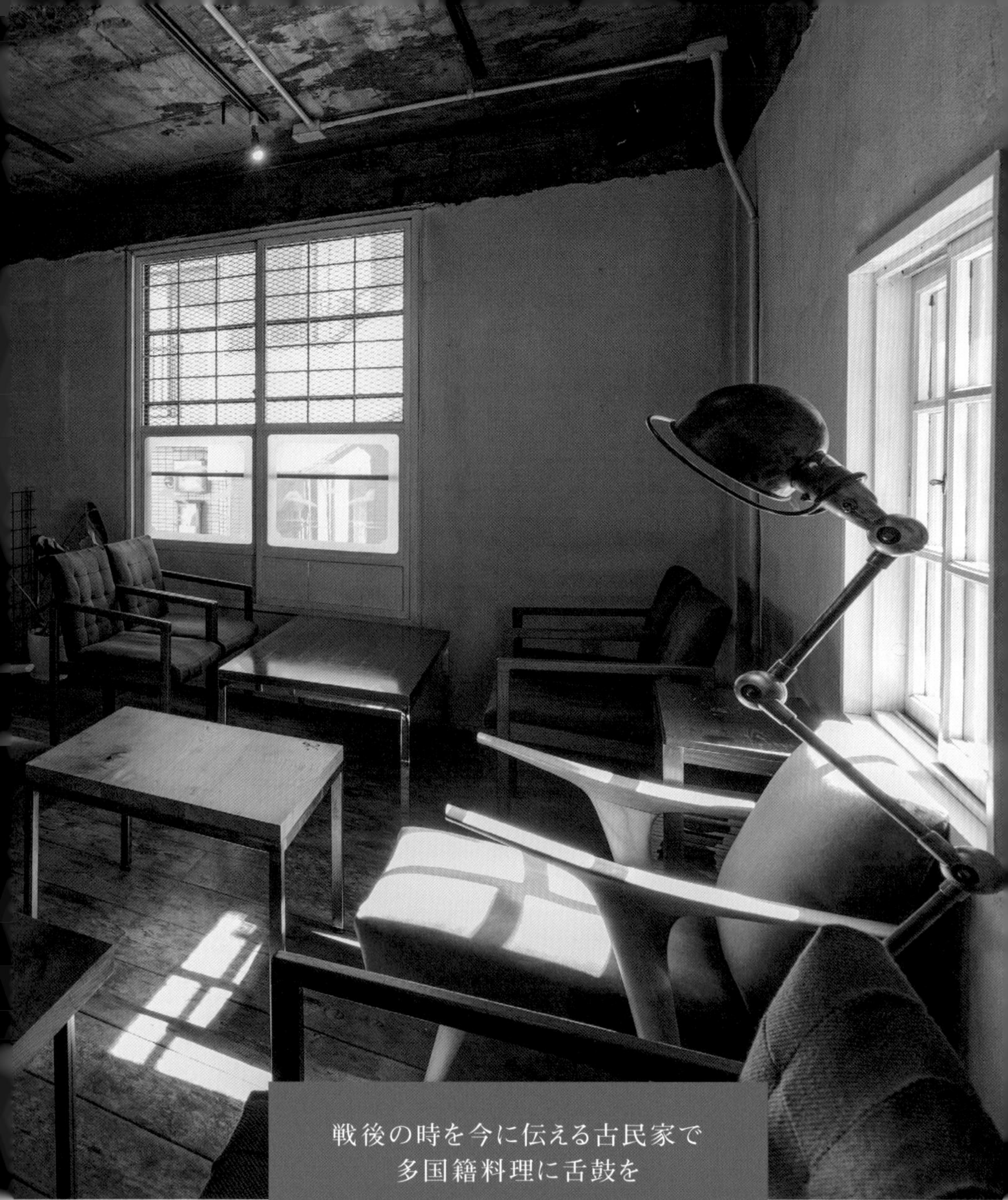

戦後の時を今に伝える古民家で
多国籍料理に舌鼓を

cafe & dining bar Insomnia《カフェ & ダイニング バー インソムニア》

中央区

上・2階席はゆったりとくつろげるロータイプのソファが配置されている。剥き出しの天井やサンドエッジで装飾が施された窓など、時代の移り変わりを感じることができる
下・住宅街の中に突如現れる真っ赤なレンガ造りの一軒家。夜まで営業しているので少し遅い時間でも利用できるのが嬉しい

その昔、現在の北海道大学にあたる「帝国大学」の教授邸宅が多くあったことから「博士町」と呼ばれていた桑園エリア。その桑園エリアでＪＲ桑園駅のほど近くに赤レンガ造りの一軒家がある。戦後まもない１９５０年に建てられたという古民家を、リノベーションしてオープンしたのがカフェ&ダイニングバー「インソムニア」だ。元々は大学の教授がサロン兼仕事場として利用していたという建物で、壁に貼られた和紙や戦時用の防火扉など内装はできる限り手を加えず現在に活かしている。そんな往時の面影を残す店内には、オーナーが仕入れたオーダーテーブルをはじめ、レトロ感満載の家具が随所に配され、まるで昭和の時代にタイムスリップしたような感覚が体験できる。

アンティーク照明がやさしく灯る店内で味わいたいのが、パスタをはじめフォーや油淋鶏といった世界各国の味が堪能できるフードメニューだ。夜は１階のカウンターでバースタイルとして利用も可能で、アルコール類も豊富に提供している。建物が刻んだ長い時に想いを馳せながら、まごころの籠った料理や豊富なドリンク類を堪能しよう。

右ページ右・米粉で作るグルテンフリーの「ベイクドショコラとアイスクリーム」¥490。ケーキとアイスはともに自家製で、アイスは日替わりの数種からセレクト可能
右ページ左・小麦粉を使わないグルテンフリーのホワイトソースで作る「アボカドとシメジのグラタン」¥890。ゴロッとしたアボカドが入り、シメジの旨みが溶け込んだ一皿

おすすめ

油淋鶏	¥700
グリーンカレー	¥890
たらこパスタ	¥990
アイスクリーム	¥490

cafe&dining bar Insomnia

札幌市中央区北10条西16丁目1
011-640-6400
11:30〜22:00(L11:00〜15:00、C15:00〜17:00、D17:00〜22:00)
定休月曜　22席　駐車場あり(3台・無料)
クレジット不可　Wi-Fi無
JR「桑園」駅より徒歩約5分
@insomnia_sapporo

文化財の中で歴史を感じながら
和洋折衷グルメを楽しむ

和洋折衷喫茶《わようせっちゅうきっさ》
ナガヤマレスト《ナガヤマレスト》

中央区

明治時代初期に建てられた和洋折衷住宅「旧永山武四郎邸」と昭和初期に増築された洋館「旧三菱鉱業寮」。北海道の指定有形文化財に指定されている同施設の中にある、和洋折衷がコンセプトのカフェ。中に入ると、青い絨毯と白い壁、ステンドグラスとどこかレトロモダンな雰囲気を感じさせる。

道産食材を中心に提供する料理は、2種類のルーを1度に味わえるカレーや、ビーフシチューなどこだわりの洋食とスイーツ。十勝新得町「北広牧場」のソフトクリームを使ったパフェやフロート、白あんとわらび餅を使ったあんクリームサンドなど、懐かしさと今の時代を融合させた、つい写真に収めたくなるスイーツが揃うのも魅力だ。

右・柱は当時のものをそのまま使用。ロイヤルブルーの絨毯が敷かれた店内には、2人掛けの席が並ぶ
上・フレッシュなトマトケチャップをふんだんに使用した特製ソースが癖になる「プレミアムトマトケチャップのナポリタン」¥980と「メロンソーダ」¥390
下・妻破風のハーフティンバーモチーフ、丸窓など昭和前期のモダンな洋館のデザインの特徴を持つ旧三菱鉱業寮

おすすめ

オムライス ビーフシチュー ¥1,300	永山邸カレー ¥1,080
フルーツサンド ¥980	ナガヤマパフェ ¥1,080

和洋折衷喫茶 ナガヤマレスト

札幌市中央区北2条東6丁目2
旧三菱鉱業寮内
011-215-1559
11:00〜20:00
定休第2水曜
22席　駐車場なし
クレジット可　Wi-Fi有
地下鉄東西線「バスセンター前」駅
8番出口より徒歩約8分
@nagayama_rest

昭和の時代を感じる倉庫カフェで
厳選豆のコーヒーとサンドを堪能

サッポロ珈琲館《サッポロこーひーかん》平岸店《ひらぎしてん》

豊平区

下右・全粒粉にライ麦を配合したパンは風味豊かで、好みの具材を選んで味わえる「デリシングルサンド」¥590。レギュラーとホットプレスがセレクトでき、6種の具材はシーズンで内容も変わっていく
下左・自家製エスプレッソアイスにキャラメルソースを加えた「キャラメルカフェ ワッフル」¥770。アイスクリームはコーヒーの豊かな風味が感じられ、珈琲専門店ならではの味に仕上がっている

軟石造りの内壁や天井など当時の姿を残しつつ、温もり感じる木目を加え改装した趣ある店内

平岸エリアの住宅街に突如として重厚な石造りの建物が現れる。昭和13年にリンゴの選果場として建てられた倉庫を改装して開業したのが「サッポロ珈琲館　平岸店」だ。趣ある店内はコーヒー発祥の地・エチオピアをテーマにした装飾が施され、小物やカップに至るまで細かなこだわりと気配りが感じられる。

オーナー・伊藤さんが直接海外の産地を訪れ選び抜いた生豆を仕入れ、丁寧にネルドリップで抽出されたコーヒーは豆本来の味や風味が堪能できる。そんなコーヒーとともに楽しみたいのが各種サンド。風味豊かなパンはレギュラーとホットプレスが選べ、具材は6種を用意。具材は定期的に変わるため、何度訪れても飽きがこない一皿になっている。

おすすめ

デリシングルサンド　¥590

ハウスブレンド珈琲　¥500

キャラメルカフェワッフル　¥770

とんかつグリルサンド　¥640

サッポロ珈琲館 平岸店

札幌市豊平区平岸2条6丁目2-27
011-814-0141
9:00～21:30※状況により時短営業あり
定休なし　49席　駐車場あり（5台・無料）
クレジット不可　Wi-Fi有
地下鉄南北線「平岸」駅より徒歩約2分
@hiragishisapporocoffeekan

2階席には、建築当初そのままの梁が残っている2階席。奥にはパラグアイの楽器「アルパ」が展示されている

札幌軟石の蔵の中で
パフェやアルコールを堪能

Café&Bar ROGA《カフェアンドバー ロガ》

札幌駅

札幌駅北口から北海道大学方面へ向かう途中のビルの中に佇む石造りの建物。築１２０年の札幌軟石の蔵を改装したカフェがオープンしたのは２０１０年のこと。１階のカウンター席と２階のテーブル席があり、閉店した喫茶店から譲り受けたベロアのイスや、写真屋で使っていたイスなどが大事に使用されている。

料理はカレーやパスタなどカフェとしてスタンダードなものから、店主の太田さんが国際協力でパラグアイに行った際に食べた南米のファストフード「エンパナーダ」など多国籍料理も提供。また手作りのパイ生地をトッピングしたパフェメニューは、季節限定も合わせて十数種類あり、観光客にも人気。昼からアルコールも提供しているので昼飲みにもおススメのお店だ。

おすすめ

桃とヨーグルトのパフェ	¥1,100
もつ煮	¥850
エンパナーダ	¥700
カレードリア	¥950

上右・水を使わず道産玉ねぎと鶏肉をホロホロになるまで煮込んだ「カレーライス」¥880。「生キャラメルカプチーノパフェ」¥1,100や「ウィスキー」¥650〜などパフェやアルコールも充実
上左・元々はカメラ店の備品庫として使われていた格子のドアが印象的な入口
下・質屋の倉庫、新聞社、写真屋、現在のカフェと明治から令和まで、様々な顔を見せてきた。店舗は右の石蔵

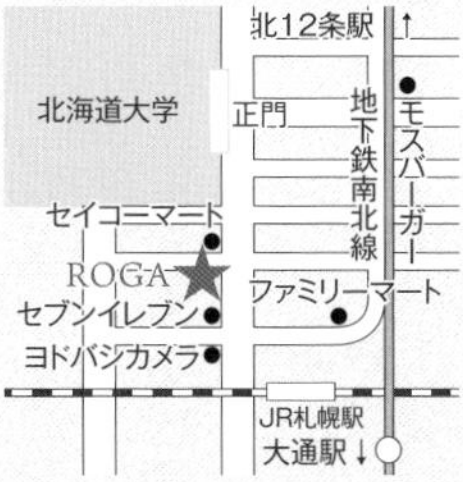

Café&Bar ROGA

札幌市北区北7条西5丁目5
011-299-7559
11:30〜23:00（フードLO22:00／ドリンクLO22:30）祝日は11:30〜17:00
定休日曜、第3月曜
35席　駐車場なし
クレジット不可　Wi-Fi無
JR「札幌」駅北口より徒歩約5分
@ cafe_bar_roga

スイーツコラム❶

フランスの伝統菓子カヌレ

焼き菓子「カヌレ」。外側はカリッと香ばしく、中はしっとりと卵の風味を感じる美味しいフランス・ボルドー地方の伝統菓子で、銅型で焼き上げた可愛らしい形も特徴的。1995年に日本で流行したことがあり、ここ数年で再びおいしさが注目されている。札幌でも人気が高く、カフェやベーカリーなどで自家製カヌレを作るところが増えている。

フラワーショップが営むカフェ「ラ メゾン ノーリーズ」は、斬新な見た目で驚く進化系のカヌレが評判。サクもちの生地にココアやレモンなど各フレーバーに合わせた生地も作っている。札幌駅近くにある「タピオ」の生カヌレは、バリエーションが豊富なのが魅力。定番のプレーンをはじめ、いちご、抹茶、ピスタチオなど6種類を揃えている。お気に入りを探して、おうち時間を楽しんで。

LA MAISON NOLLYS

Tapio

上・アイスクリームがサンドされた「ココアカヌレ（フラワーティーセット）」¥990に、「レモンカヌレ」¥385。フラワーティーとの相性抜群
下・6種類の個性が楽しめる「生カヌレセット（6個入）」¥1,100。生クリームを使用し生地をやわらかく仕上げ、ガナッシュが入っている

LA MAISON NOLLYS

住 札幌市中央区南4条西23丁目1-18
☎ 011-200-9587
営 11:00～18:00（変動あり）
休 水曜、月2回木曜日
Instagram▶@nollys_araza

Tapio

住 札幌市北区北7条西5丁目5 東洋カメラハウス1F
☎ 011-312-5056
営 12:00～20:00（日曜～18:00）
休 月曜
Instagram▶@tapio_okashiya

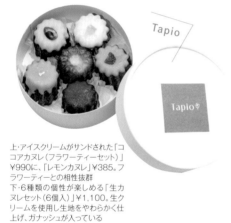

ランチ使いしたいカフェ

中央区

訪れる度に新しい発見ができる 人との絆を大切にした喫茶店

絆珈琲店《きずなこーひーてん》

札幌で有名な「おかめや」の高級食パンで自家製玉子サラダやトマトなど豊富な具材を包んだ「ミックスサンドランチ」¥950。ランチタイムはサラダとスープ、ドリンクがセットに

サイフォンを使い、自家焙煎豆を丁寧に抽出した香り高い一杯が味わえる喫茶店。「コーヒーに限らず、お客様それぞれが思い思いに過ごして欲しい」とオーナー・竹川さん。特筆すべきはそのメニューの多さで、ドリンクは季節限定を含め常時50種以上を用意。フードもサンドウィッチやカレーに加え、日替わりの定食やパスタを用意。またお正月やクリスマスなど、竹川さんのアイデアを形にした季節限定メニューも続々登場する。

時間帯によりモーニング、ランチ、スイーツとセットメニューが変わり、モーニングタイムは高級食パン「おかめや」のパンを使ったトースト類をドリンクとセットでリーズナブルに楽しめる。

①ウッドベースで清潔感を感じる店内。カウンター席とテーブル席があるので、様々なシーンで利用可能
②食パンを自家製の卵液に浸し、ふわとろに焼き上げた「メープルフレンチトースト」¥550。後ろにあるのは甘さ控えめに仕上げた弾力のある「絆のプリン」（数量限定）¥300
③サクサク食感のホットサンドで数種の具材を包んだ「ホットスモークチキンサンドランチ」¥950。ケチャップの酸味がアクセントで、スモークチキンやトマト、玉ねぎとチーズなど具材も豊富

サイフォンのアイコンを
あしらった白い看板が目印

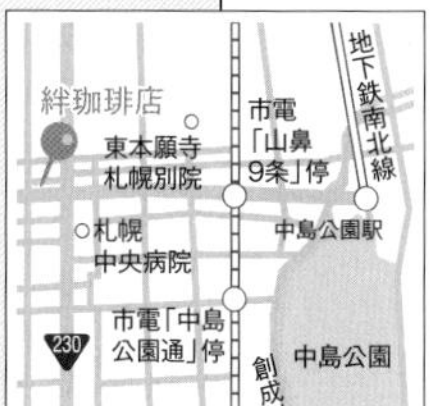

㊟ 札幌市中央区南8条西11丁目3-10
ツインズ南8条七番館1F
☎ 011-252-7955
㊕ 7:30〜17:30(LO16:45)／（M7:30〜11:00、L11:00〜14:00、スイーツ14:00〜16:45）、水曜は〜15:00（LO14:30）
※全時間帯で単品の注文が可能
㊡ 金曜（月に2回不定休あり）　㊢31席
Ⓟ あり（2台・無料）　Ⓒ 不可
地下鉄南北線「中島公園」駅2番出口より
徒歩約10分
@kizunacoffee

take out menu

絆ブレンド
（粉のみ・100g）
¥650

絆珈琲店のハウスブレンド（粉）も店頭販売。多種のコーヒー豆（粉可）も購入可能

木の温もりあふれる隠れ家カフェで 丹精込めた料理の数々に感動

conifer《コニファー》

ホワイトソースに、フレンチにも使われるアメリケーヌソースを合わせた「ホタテとたまごのアメリケーヌソースドリア」¥980。ホタテをはじめ魚介の旨みが溶け込み、半熟卵を割ることでさらにまろやかな味わいに

北海道立近代美術館のほど近く、閑静な住宅街に佇む家屋がある。一見すると店だと思わず通り過ぎそうになるが、ここが佐藤夫妻の営むカフェ「conifer」だ。玄関を開けると目に飛び込んでくるのがマウンテンバイクをはじめとした数々の雑貨類。2階と3階に分かれる店内には佐藤さんが趣味で集めたというアイテムがディスプレイされ、時間と空間に彩りを添えてくれる。

そんな同店で味わいたいのが、手間暇を惜しまず作られる食事メニュー。アメリケーヌソースを使った看板メニューのドリアは、口当たりまろやかで、ほか日替わりランチやピザなどメニュー数も豊富。「SATO COFFEE」の豆を使った苦みとコクのあるコーヒーは食後にもぴったりだ。

①古民家をリノベーションしたという店内。内装デザインや置かれた小物類など、佐藤夫妻のセンスが随所に光る
②「SATO COFFEE」のコーヒー豆を使った「深煎りコーヒーゼリーとアイスクリーム」¥830。チョコソースをかけることで絶妙な甘さに。自家製デザート類にはドリンクがセットで付く
③トマトソースに煮込んだ鶏もも肉が入った「トマトソースとチキンのスパゲティ」¥930。自家製ソースは玉ねぎやベーコン、マッシュルームを8時間ほど煮込むという丹精込めた一皿だ

住宅街にあり迷いそうになるが
店前に置かれた自転車が目印

住 札幌市中央区北2条西18丁目1-14
☎ 011-642-3668
営 11:30〜21:30(LO20:30)
休 木曜、不定休　席 28席
P あり(1台・無料)　C 不可
地下鉄東西線「西18丁目」駅3番出口より徒歩約5分
@528conifer

take out menu

コーヒー豆
(100g) ¥653
店でも提供する「SATO COFFEE」のコーヒー豆は店内販売もしている

見た目にも可愛らしいマフィンと 豊富な食事メニューを取り揃え

Rain MIYANOSAWA《レイン ミヤノサワ》

火を通すと白く焼きあがるふわふわ食感の卵で、チキンライスを包み込んだ「白いオムライス」¥1,419。自家製トマトソースはほどよい酸味が効いていて、追加料金でドリンクをセットにすることも

円山に本店を構える「café rain」の3号店である「Rain MIYANOSAWA」。本店のカフェスタイルと2号店のギフト販売を融合したrainの集大成ともいえる店舗で、目玉となるメニューは道産小麦100%にこだわったマフィンだ。rainの代名詞であるパウンドケーキを使ったスイーツ類も味わえるほか、オムライスやガパオライス、キーマカレーなどの食事メニューも豊富に揃えている。

　地下には焙煎工房も併設されており、自家焙煎したオリジナルブレンドは店内で堪能できるほか、店頭にてコーヒー豆の販売も行っている。小気味よいジャズが流れる居心地のよい空間で、rain集大成のおもてなしを存分に満喫しよう。

①2階のソファ席はゆったりくつろげるロータイプのものが多く、カップルからファミリー層まで幅広い年代が安心して過ごせる設計になっている
②小麦や卵、バターに至るまで全て道産素材を使った「マフィン」¥378。甘さ控えめかつしっとりふわふわの食感が特長で、生クリームと一緒に味わおう。追加料金でドリンクセットも可能
③風味のよい道産そば粉を使ったガレットにたっぷりの野菜をのせた「シーフードガレット」¥1,309。アサリやイカ、エビといった魚介類で作る自家製シーフードソースが味の決め手

rainらしい濃淡な紺の外壁とトレードマークである傘の看板が目印

住 札幌市西区西町北19丁目4-5
☎ 011-699-6136
営 11:00〜20:00(L11:00〜16:00)
休 火曜　席 60席
P あり(6台・無料)　C 可
地下鉄東西線「宮の沢」駅7番出口より徒歩約5分
@rain_miyanosawa

take out menu

Rain BLEND ¥1,404

地下のロースタリーで焙煎したオリジナルブレンド豆は購入も可能。焼き菓子とともにギフトに最適

多くの人々を魅了し続ける 手間暇かけたこだわりのルーカレーを

カフェ エッシャー

ナスは素揚げてじゃがいもはふかし、ニンジンは煮るという、こだわりが詰まった「なすとひき肉のカリーセット」￥780。サラダとドリンクが付き、リーズナブルな価格で注文できるのも魅力

駅前通り沿いの地下に、心地よいジャズのBGMが流れる「カフェ エッシャー」がある。場所柄もあり昼食時にはビジネスマンやOLが訪れ、行列ができる日も多い。壁には店名の由来でもある〝騙し絵〟の画家・エッシャーの絵画が飾られ、落ち着いた雰囲気を演出している。

同店を訪れるゲストのお目当ては名物のカレーだ。25kgの玉ねぎを飴色になるまで5時間炒めるというルーカレーはまろやかな味わい。トッピングの野菜ひとつをとってもそれぞれ調理法を変えるなど、そのこだわりが随所に光る。ライスの量は350gと十分な満足感があり、食後はガツンと深みのあるフレンチタイプのコーヒーで、午後のティータイムを満喫しよう。

①白と木目を基調とし、心地よいジャズが流れる居心地のよい店内。来店の際は階段ではなくエレベータを使おう
②インパクトのある苦みと豆本来の風味が感じられる「ブレンド」¥350
③カウンター席も完備しているので、さまざまなシチュエーションで利用できる。ラックにはジャズのCDや雑誌類も配置

1989年創業の愛され店舗が
2021年12月に移転オープン！

CAFE ESHER
カフェ エッシャー
SINCE 1989

おすすめmenu

- なすとひき肉のカリー ¥780
- 大えびとフライとエリンギのカリー ¥850
- ホタテとブロッコリーのカリー ¥780
- チキンカリー ¥780

住 札幌市中央区北2条西3丁目
第25桂和ビル B1F
☎ 011-231-4430
営 11:30〜15:30(LO15:00)
※カレーが売り切れ次第終了
休 日曜、祝日
席 23席
P なし　C 不可
地下歩行空間3番出口より徒歩すぐ

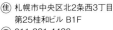

昭和モダンを思わせる純喫茶で まごころ籠った料理に舌鼓

パーラートモミ

トマトソースとケチャップをベースに、隠し味を加えてまろやかな味わいに仕上げた「ナポリタン」¥950。2.2mmの太麺はもちっとした食感で具材も豊富

南円山エリアに昭和モダンを思わせる純喫茶がある。相馬さんご夫妻が営むアットホームなお店が「パーラートモミ」だ。店内には随所にレトロな小物が配されており、「好きなものを形にしたらこうなりました」と語るのは店主・広志さん。内壁やソファなどは赤で統一され、シックな雰囲気が漂う。

同店の看板メニューはふわふわ卵で包んだオムライスだ。当別町にある「ファームアグリコラ」の〝平飼いたまご〟を使い、塩・胡椒・バターでシンプルに味付けをすることで、卵本来のまろやかな味わいを引き立たせている。コーヒーは「みちみち種や」焙煎のオリジナルブレンドを提供。浜中町の牧場から直送するミルクを使ったパフェにも注目。

①やさしい照明が灯る店内は、ついつい長居してしまいそうな雰囲気が。壁にはレコード類が飾られ、季節限定メニューのお品書きも張られている
②牧場直送のミルクを使ったソフトクリームと平飼いたまごのプリンを使った「自家製カスタードのプリン」¥1,100。見た目のインパクトもさることながら、トッピングも豊富。（撮影のためだけの注文はNG）
③平飼いたまごのオムレツに相馬さんおすすめのカレーをかけた「オムカレー」¥1,200。8種のスパイスをブレンドしたカレーはフルーティーかつスパイシーな味わい

昭和感が満載な
緑と白のストライプ看板が目印

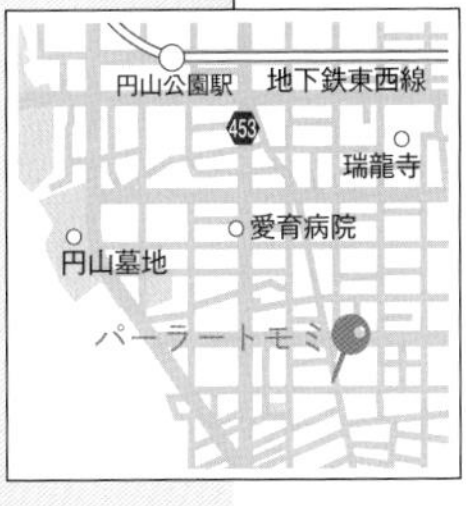

住 札幌市中央区南6条西23丁目5-6
☎ 011-557-7186
営 11:00〜18:00（LO17:00）
休 月・火曜
席 10席
P 提携駐車場あり　C 不可
地下鉄東西線「円山公園」駅
4番出口より徒歩約12分
@parlour_tomomi

take out menu

おむすび
カンパニー
木津農園
「ゆきさやか」
(450g)
¥480

店で使っているお米は購入も可能。冷めても美味しいと評判の新品種

中央区

世界の味を表現したトーストで 旅のワクワク感を満喫する

ZOU《ゾウ》 CAFE《カフェ》

外はサク、中はしっとりとしたトーストにチーズをのせはちみつをかけた「4種のチーズ&はちみつトースト+ZOUセット」¥920。甘じょっぱい味わいがクセになる一枚

「トーストで世界を旅しよう」をコンセプトに、世界各国の料理をモチーフにしたトーストが楽しめる。市内にある工房「パリ・ジャンサガ」から仕入れる無添加・保存料不使用の食パンを使い、ベトナムの「バインミー」や韓国の「プルコギ」など全21種ものトーストを用意。またドライカレーやハンバーグといったボリューミーな食事メニューもプレートで味わえる。

吹き抜けの天井が開放的な店内は、白の内壁と黒のインテリアが融合したスタイリッシュな空間で、カラフルな見た目が可愛らしいドリンク類は写真映えすると評判だ。世界各国の味を表現した一枚で疑似世界旅行を体験しよう。

①清潔感のある店内はカウンターとテーブル席を完備。学生からOL、昼休憩のサラリーマンなど幅広い層で賑わう
②鮮やかな色味を演出するバタフライピーを使った「ラベンダーレモネード」と、数種のスパイスなどから作る「自家製ジンジャーエール」は写真映えすると人気。ともに¥480
③玉ねぎの甘さとトマトの爽やかな酸味が絶妙にマッチした「オリジナルスパイスチキンカレー」¥880。本格的でありながら油分が少なく食べやすいと評判

「気球で世界を旅する象」をイメージした看板が目印

住 札幌市中央区南4条西16丁目1-20
☎ 011-596-6490
営 11:00～16:00（LO15:30）
休 日曜
席 18席
Ⓟ なし　Ⓒ 可
地下鉄東西線「西18丁目」駅
2番出口より徒歩約6分
@zou_cafe_sapporo

take out menu

アールグレイ
オレンジ
ティーバック
（8個）　¥735

柑橘系の爽やかな香りとやさしい風味が特長のハーブティー

中央区

お米の魅力を最大限に引き出す 料理の数々に舌鼓

あめつち by 35stock《あめつち バイ 35ストック》

15種から選べるおにぎりに、本日の焼き魚、豚汁、ドリンクが付いた「おすすめセット」¥1,320。同店人気NO.1メニューで、おにぎりは基本の9種と追加料金でプラス6種を用意

北35条にある雑炊カフェ「35stock」の姉妹店。『食物を育てる雨と土に感謝を』、という思いが店名の由来となる同店の中心メニューはおにぎりだ。A5ランクのななつぼし米を使い、具材は枝豆やローストビーフなど目を引くものばかりが揃う。

「地域に貢献を、食べて健康に」というコンセプトの通り、料理には道産かつ無添加の食材を使用。メディアなどで話題を集めている「あめつちぷりん」は店頭でギフト購入も可能だ。店舗の設計・施工を手掛けるのは経営の母体となる「三五工務店」で、道産木材の木の温もりを大切にした居心地の良い空間となっている。和食に合う様に焙煎されたオリジナルブレンドコーヒーとともに、道産食材と米の魅力を存分に堪能しよう。

①工務店のノウハウを存分に発揮したウッドベースの店内。大きく取られた窓からはやさしい陽光が差し込む
②安心して食べられるよう道産食材を使った「あめつちぷりん」。「ぷれーん・ぷれーんふわ」「ほうじちゃ」、「ちーずじゃが」、「ちょこごぼう」と種類も豊富。
③自家製の付けダレに漬け込んだ道産鶏を米粉でカラッと揚げた「自家製道産鶏ザンギ」¥310

ウッドな外壁とフラットな屋根がスタイリッシュな印象を与える

住 札幌市中央区南20条西8丁目2-22
☎ 011-206-1935
営 11:00～20:00(LO19:00)
休 不定休
席 20席
P あり(4台・無料)　C 可
市電「幌南小学校前」停下車徒歩約4分
@ametsuchi35stock

take out menu

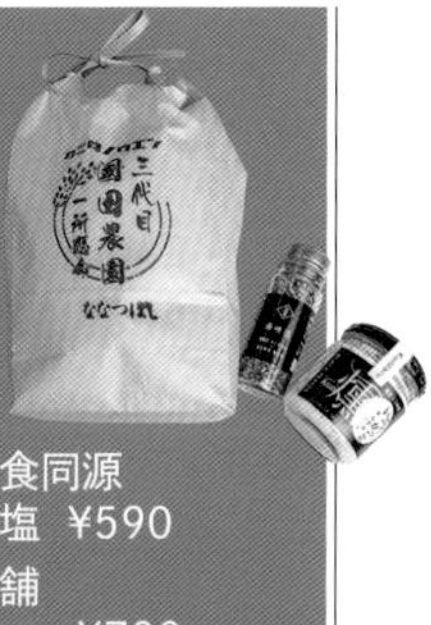

國田農園
新米
ななつぼし
(2kg)
¥1,360

株式会社医食同源
函館粗挽海塩　¥590

伊藤漬物本舗
燻～ブラック～　¥700

米をはじめ、店内で提供する料理に使う調味料なども店頭販売している

北区

名古屋出身の店主が腕を振るう 種類豊富な“なごやめし”を堪能

神野喫茶店《じんのきっさてん》 × JINNO COFFEE《ジンノ コーヒー》

名古屋から取り寄せる味噌を使った王道のなごやめし「鉄板　味噌カツ丼」¥1,200。サラっとした味噌ダレがカツに染み込み、鉄板で運ばれてくるので最後までアツアツで味わえる

京都にある老舗喫茶「イノダコーヒ」で研鑽を積んだ神野さんが営む「神野喫茶店」。別業界で働いていた神野さんが「人と身近に関われる仕事がしたい」という思いからこの道に進むことを決意。前店で基礎といろはを学び、しっかりとした技術で自家焙煎し提供するコーヒーは、5種のハウスブレンド。産地により段階的に焙煎度を決めるこだわりぶりで「各国の豆の特徴や個性を活かし、立体感のある味を堪能して欲しい」と語る。

そんな同店は日々常連客で賑わい、目当ては名古屋出身の神野さんが腕を振るう「なごやめし」。定番の鉄板ナポリタンやおぐらトースト、味噌カツ丼などお腹も心も満たされるメニューを多数堪能できる。

①店内は白を基調とした明るい空間で、テーブル席のほか座敷席もあり子連れでも安心。昼時には全席が埋まるほど賑わう人気店だ
②カフェインレスを含め常時5種を提供する「自家製ブレンドコーヒー」¥480。アイスは時間経過で味が薄まらないよう、氷もコーヒーを凍らせて作るなど神野さんの気配りが随所に感じられる
③こちらも名古屋を代表するスイーツである「おぐらトースト」¥580。「おかめや」の食パンを4cmという厚切りで提供し、バターの塩味とあんこのほどよい甘みが絶妙な一枚

真っ赤な郵便ポストと
ソフトクリームの模型が目印

住 札幌市北区新琴似10条7丁目1-1
☎ 011-766-5556
営 10:00〜17:00
(喫茶室11:00〜15:00)
休 月・火曜
席 22席
P あり(5台・無料)　C 不可
JR「新琴似」駅より徒歩約15分
@jinnokissaten

take out menu

マイルド
(珈琲豆各種)
100g
¥540

店内の焙煎機で独自ブレンドしたこだわりの豆は店頭でギフト販売も

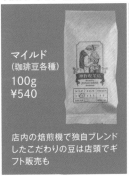

清田区

吹き抜けの天井が解放感を演出 店内は温もりあふれる居心地空間

Café ZIKKA《カフェ ジッカ》

10時～15時のランチタイムで注文可能な「フレンチトースト&ペンネとベーコン、ナスのトマトクリームグラタン」¥1,300。クリーミーなグラタンとフレンチトーストが相性抜群

平岡の住宅街にドーム型の屋根が目を引くカフェが現れる。以前は車屋だったという建物をオーナーの吉田さんが気に入り、「ここでカフェをやりたい」と思い立ったのが「café ZIKKA」の始まり。「実家にいるような時間を過ごして欲しい」という言葉通り、メタリックな外観とは裏腹に店内は木の温もりを感じる居心地のよい雰囲気が漂う。

店内中央にはカスタムオーダーの焙煎機が置かれ、厳選した生豆を自家焙煎したコーヒーが楽しめる。隣接する工房で焼き上げる自家製パンを使ったフードメニューのほか、ランチはハンバーグやグラタンといったプレートも提供。食後はパンケーキや季節のパフェといったデザートも堪能したい。

①ソリッド感のある天井や外壁はそのまま活かしつつ、オーダーメイド家具の柔らかい雰囲気が独特の空気感に融合した秘密基地のような店内
②新鮮ないちごに加え、ピスタチオとバニラ2種のアイスが入った「いちごとピスタチオのパフェ(L)」¥880。最後まで飽きないよう、シフォンケーキとキャラメルクランチが層になっており、好みで岩塩を付けて味わって
③道産小麦を100%使用したふわふわ食感の「ジンジャーパンケーキ」¥750。添えられたジンジャーシロップがアクセントで、生クリームの甘味とジンジャーの苦味が絶妙にマッチしている

中に入るまでカフェだとは思えないような無二の存在感がある外観

住 札幌市清田区平岡公園東11丁目12
☎ 011-882-7018
営 10:00〜19:00(LO18:30)/
L:10:00〜15:00
休 水曜　席 50席
P あり(30台・無料)　C 可
中央バス「ライブヒルズ南」停
下車徒歩約5分

take out menu

バタールのフレンチトースト(左) ¥500
チョコバナナパフェ(右) ¥600

道産小麦「きたほなみ」を使ったフレンチトーストや人気のパフェはテイクアウトもOK

肉汁たっぷりホロホロ食感の 絶品ハンバーグが味わえる

シュシュウルフ 歯のいらないハンバーグ《シュシュウルフ はのいらないハンバーグ》

濃厚なコク旨クリームソースとトマトの酸味が絶妙にマッチした「ポテトマクリームハンバーグ」¥1,580。元々は期間限定メニューとして登場したが、ゲストからの熱い要望からグランドメニュー化した人気の一皿

地下鉄白石駅のすぐ近く、可愛らしいオオカミが描かれた看板が目に入る。「モジモジカフェ」を前身とする「シュシュウルフ」は、学生からOL、主婦と幅広い年齢層に支持される人気店。店内は連日席が埋まるほどのゲストで賑わい、その9割が女性客だという。

同店の看板メニューはハンバーグで、人気のオニオンソースをはじめ常時10種以上を用意。店名の「歯のいらない」というキャッチ通り、牛・豚・鶏の3種の挽き肉をあえて噛み合わないサイズで独自にカットすることで、驚くほど柔らかいホロホロとした食感に仕上げている。ドリンクはコーヒーやカフェラテといった8種を提供し、パフェなどのスイーツ類にも注目だ。

①所々にグリーンが配された明るい店内は、木の家具が配されたナチュラルな雰囲気。壁に描かれたマスコットキャラのオオカミのデザインは、スタッフが考案したもの
②夏期限定で登場する桃を丸ごと使い、お尻に見立てた「季節のパフェ（お尻パフェ）」¥1,580。見た目のインパクトも抜群で、写真映えすると評判
③「炙りチーズのオニオンソースハンバーグ」¥1,400。じっくり炒めた玉ねぎと焦がし長ねぎの2種類を使ったオニオンソースが味の決め手

まるで絵本に
登場するかのような可愛らしい外観

住 札幌市白石区東札幌3条5丁目1-26
寿栄荘
☎ 011-595-8900
営 L11:00〜16:00、D17:30〜21:00
休 木曜　席 16席
P なし　C 不可
地下鉄東西線「白石」駅5番出口より
徒歩約5分
@cafe.chouchouwolf

take out menu

オニオンチーズ
ハンバーグ ¥1,400
（ご飯なしは¥100off）
ハンバーグはテイクアウトも
可能で、種類は8種から選べる

スイーツコラム ❷

進化してゆく和菓子

スイーツといえば、もちろん和菓子も見逃せない。和菓子の代表格・もち菓子は、フルーツやクリームを使うなど創意工夫あふれるものが今増えている。「季の菓子工房しゅう」は、店主の自由な発想や感性で作る和菓子が評判。素材はできるだけ北海道産を使用。小豆はすべて洞爺産で、中でも希少な白小豆のあんを使った生菓子は、上品でやさしい味わい。旬の素材やフルーツを取り入れて季節感をより表現している。

「えにかいたもち ～札幌のおもち専門店～」は、道産の「きたゆきもち」というもち米を使用した大福で、若い人でも食べやすいように生クリームやムースを使用したスイーツ大福、団子など計10種類ほどをラインナップ。テイクアウトの袋は、オリジナルデザインが素敵でちょっとした手土産にもぴったりだ。

季の菓子工房 しゅう

えにかいたもち
～札幌のおもち専門店～

上・季節の生菓子は常時3～4種類を用意。「水無月」（写真）2つと、小さなお菓子1つがセットになった「水無月の小箱」¥750。※店頭の商品内容・価格は季節と共に変動あり
下・「カカオ豆から作った生チョコ大福」¥380。ココア求肥、SOIL生チョコ、チョコグラサージュ、チョコムース、フランボワーズが入ったチョコの大福

季の菓子工房 しゅう

(住) 札幌市中央区南1条西15丁目1-319 シャトールレーヴ505
(☎) なし。取置きはInstagram（@kinokashi_shu）で確認を
(営) 13:00～売り切れ次第終了
(休) 不定
Instagram▶@kinokashi_shu

えにかいたもち ～札幌のおもち専門店～

(住) 札幌市中央区南11条西8丁目3-19 エフェクト南11条B棟1F
(☎) 011-206-1222
(営) 10:00～19:00
(休) なし
Instagram▶@enikaitamochi.sapporo

夜に行きたい
カフェ

くつろぎ時間を提供するカフェで こだわりのステーキやパンケーキを

銀珈琲店《しろがねこーひーてん》

中央区

宮の森にある本格的なステーキと、こだわりのスイーツを提供するお店。食事のメインとなるステーキは、トマム・リゾートの人気店「カマロ・ステーキダイナー」が監修。道産牛のフィレステーキのほか、日高昆布を食べて育った「こぶ黒」のほか、「白老牛」や、「星空の黒牛」など、北海道のブランド牛のステーキも開店直後から味わうことができる。ほかにも煮込みハンバーグや牛タンシチューなど、肉好きには堪らないメニューが充実しているのも魅力だ。

スイーツはオーダーを受けてから20～30分掛けて焼き上げるパンケーキをはじめ、ケーキやパフェも揃う。フレンチプレスで丁寧に抽出したコーヒーと一緒に楽しみたい。

①ヘルシーな道産牛赤身肉を楽しめる「道産牛フィレステーキ」150g¥1,650。ライス、スープ、サラダ付きは+¥500
②ブランド牛の牛スジをじっくり煮込んだ「銀の牛スジカレー」¥1,320
③表面はさっくり、中はしっとりふわふわな「こだわり卵のカステラパンケーキ」¥1,520

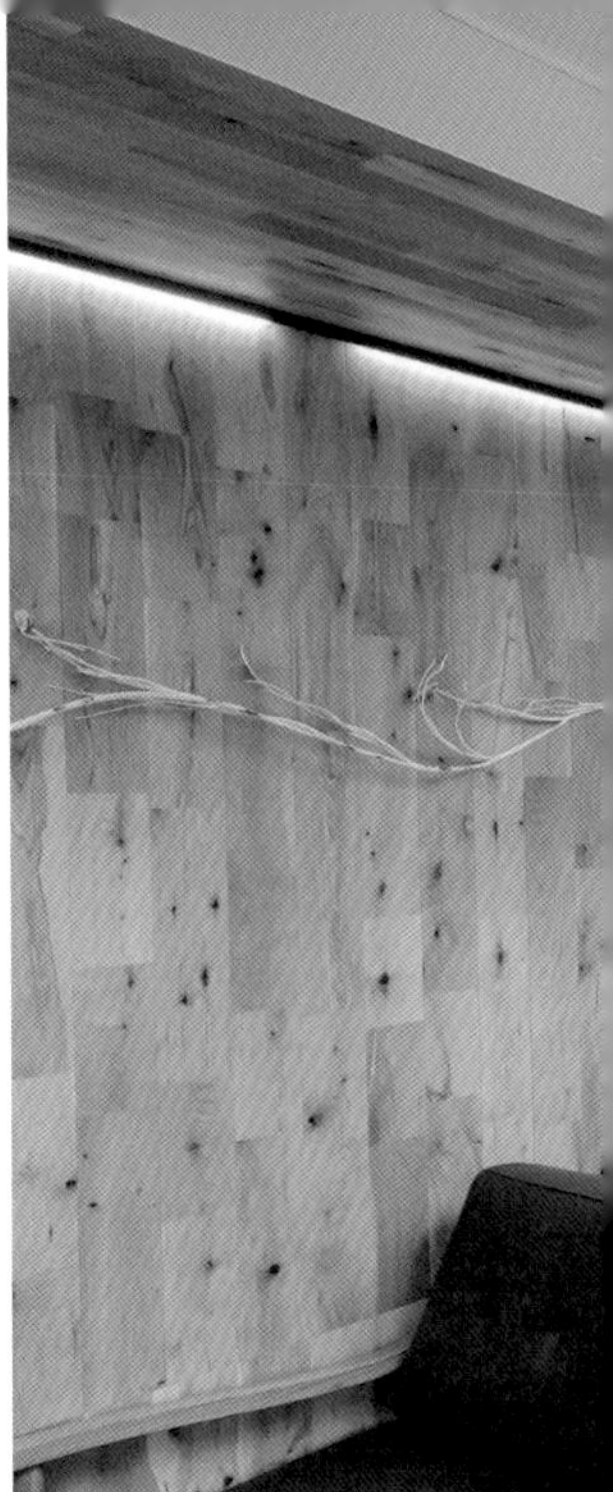

柔らかな照明にゆったりとした時間が流れるモダンな空間。席も余裕をもって設置されているので思い思いにくつろぐことができる

北1条・宮の沢通にある
コンクリートのモダンな建物

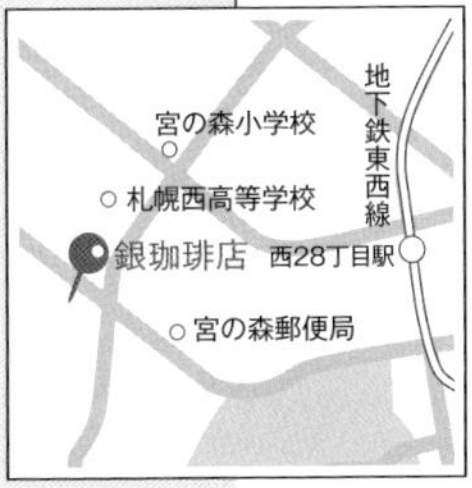

住 札幌市中央区宮の森3条11丁目1-45
☎ 011-688-6727
営 10:00～21:00（L11:00～16:00、D16:00～21:00 LO20:00）
土・日曜、祝日は9:00～21:00
休 無休　席 30席
P あり（8台・無料）　C 可
地下鉄東西線「西28丁目」駅
3番出口より徒歩約20分

take out menu

牛タンのビーフシチュー
¥1,820

トマトベースの自家製ソースとやわらかい牛タンが相性抜群

すすきの

古き良きすすきのの良さを体感 個性際立つネオ喫茶

薄野喫茶《すすきのきっさ》 パープルダリア《パープルダリア》

色とりどりのフルーツを7種使った断面も鮮やかな「フルーツパフェ」¥1,480。スパイスを利かせた人気ナンバーワンスイーツ

なつかしい昭和の中に現代の感覚を取り入れた喫茶店。窓にはめ込まれたオリジナルのステンドグラスや深緑の別珍のソファ、見る角度によって色が変化するミラーや、紫色のネオンなど、まるで昔から存在していたような空間が訪れるゲストを魅了する。

提供するメニューはカレーやオムライスなど喫茶店として王道の品揃えながら、プリンやパフェといったスイーツにはスパイスを効かせるなどひと手間加えたものばかり。中でも十勝・北広牧場のミルクと果実をふんだんに使ったパフェは、濃厚なミルク感に果実の甘さと酸味、スパイスの香りが融合した人気メニュー。アルコールやおつまみもあり、シメパフェになど様々なシーンでぜひ利用したい。

①喫茶店としてはスタンダードなボックス席の他にカウンター席もある
②「ブルーソーダのソフトクリームフロート」¥700
③昔ながらのベーシックな具材でつくったチキンライスも美味な「オムライス」¥960

すすきのの地で愛された
喫茶店の跡地に2021年誕生

住 札幌市中央区南6条西4丁目1-11
☎ 011-211-6991
営 13:00〜22:00（金曜〜23:00、土曜11:00〜23:00、日曜11:00〜）
休 無休　席 28席
P なし　C 不可
地下鉄南北線「すすきの」駅4番出口より徒歩約3分
@purple_dahlia_sk

take out menu

フルーツあんクリームサンド ¥960

白あん入りのホイップクリームとわらび餅入りの和洋折衷フルーツサンド

日頃の喧騒を忘れさせる広めの店内。壁際のショーケースには国内外のアルコールや、テイクアウト商品が並ぶ

非日常的な路地裏カフェで 特別なスイーツやフードを愉しむ

Cafe&Bar《カフェアンドバー》 日晴堂《ひばりどう》

すすきの

90年代のカフェやバーのカルチャーを意識した、どこかノスタルジックでありながら今を感じられる隠れ家的な空間。札幌駅前や狸小路で人気を集めた「六鹿」のスタッフが2021年10月に立ち上げたカフェ&バー。

固めのカスタードプリンや野菜の彩りも意識したカレーなど、六鹿時代から人気のメニューはそのままに、生地に興部町産のバターミルクをたっぷり使い寝かせて作られる、ミルキーな香りが特徴のシンクレープなど素材と製法にこだわったスイーツも登場。クラフトビールやナチュラルワインなどアルコール類も充実しているので、休日に昼からノーチャージでお酒を楽しんだり、0次会にも利用したい一軒だ。

①もちもちとパリパリの両方の食感を堪能できる「シンクレープ　ホイップ&メイプルバター」¥850。「クリームソーダ」¥720は6種から選べる
②「羊とハーブのそぼろカリー」¥1,180は道内外のクラフトビールとも相性抜群
③北海道産とナチュラルワインを中心に揃えた「グラスワイン」は¥800～から提供

創成川そばの路地裏に佇む。
夏の時期はテラス席も用意

住 札幌市中央区南4条西1丁目13-2
NO.5ミカエルビル1F
☎ 011-522-5931
営 11:00～20:00(日曜、祝日は～18:00)
休 無休　席 30席
P なし　C 可
地下鉄東豊線「豊水すすきの」駅
1番出口より徒歩約1分
@hibarido_sapporo

take out menu

北海道カスタードプリン
(1本) ¥1,980

むっちり固めの食感とビターなカラメルは大人の味わい。3～4人でシェアがおすすめ

木の温もりあふれる心地よい空間。ソファ席やカウンターなど思い思いの場所でゆったりと過ごせそう

穏やかな時間が流れる空間で やさしい味わいのスイーツとコーヒーを

ハリネズミ珈琲店《ハリネズミこーひーてん》

大通

狸小路の外れにある雑居ビルの中に、北欧テイストで落ち着く雰囲気が特徴の隠れ家的カフェがある。ビルの老朽化に伴い2020年に現在の場所に移転。新店ではカウンターのテーブルやソファ席、照明などを活かして旧店舗の雰囲気をできる限り再現しつつも、2人利用を意識したテーブル席も増設した。

店主の及川さんの奥様がお店で焼き上げるやさしい味わいのケーキは、定番と限定のものを合わせて3〜4種を用意。夜限定メニューのマフィン2種とともに、丁寧に淹れるネルドリップのコーヒーと合わせてティータイムはもちろん、お酒の後の口直しに訪れるゲストも多い。期間限定の気まぐれスイーツも随時登場するので気になる方はSNSでチェックを。

①本日のケーキとコーヒーまたは紅茶をセットで楽しめる「ケーキセット」¥900※写真のケーキはガトーショコラ
②平日は17:00からの限定提供の「夜マフィン」。チョコチップ（手前）とレモン（奥）共に各¥350
③たっぷりのホイップが人気の「ウィンナーコーヒー」¥750

おすすめmenu

- 本日のケーキ ¥400
- コーヒー（マイルド・フレンチ） 各¥550
- 本日のストレート ¥650~
- 紅茶（ホット・アイス） 各¥550

狸小路8丁目の雑居ビルの3F、特徴的な青いドアがお出迎え

㊟ 札幌市中央区南3条西8丁目7-4 遠藤ビル3F
☎ 011-596-6852
㊖ 12:00〜23:00（日曜は〜19:00）
㊡ 月曜　㊛ 22席
Ⓟ なし　Ⓒ 不可
地下鉄南北線「すすきの」駅3番出口より徒歩約5分
@harinezumicoffee

店内の至るところにかわいらしいハリネズミグッズが

牛、羊、鹿を選べる3種のパティ　こだわりのバーガーカフェ

髙橋バーガー《たかはしバーガー》

甘じょっぱい味わいが癖になる「テリヤキバーガー」にグリルしたパインをトッピング。写真はドリンク付のディナーセットで¥1,550

間借り営業やキッチンカーでハンバーガーを販売していた「髙橋バーガー」が、2022年5月桑園エリアで店舗営業を開始。スタンダードなクラシックバーガーをはじめ、定番10種と月替わりのハンバーガーの計11種のハンバーガーを提供。どれもオーナーの髙橋さんが独学で研究した末に完成させたもので、特にスパイスを効かせたパティはベーシックな牛肉のほか、ラム肉は100円、鹿肉は150円で変更も可能。中でも函館産の鹿肉のパティは多くのハンバーガーファンの心を掴んでいる。

店内では髙橋さんの趣味であるスケートボードに関するアイテムも販売。毎週土曜日にはスケートボード教室も開催している。

①髙橋さんが自ら作った店内。柱などの装飾にスケートボードの廃材を利用しているそう
②自家製の「レモネード」¥400
③「マンスリーバーガー」¥1,000の一例。函館の鹿肉を使った「しか肉のローストライスバーガー」

桑園エリアの
住宅街にある白い建物が目印

住 札幌市中央区北7条西15丁目1-6
☎ 011-215-5517
営 11:30～22:00（L11:30～15:00、D17:00～LO21:30）※閉店時間変動有
休 木曜※他不定休有
席 15席　Ⓟなし　Ⓒ不可
JR「桑園」駅より徒歩約10分
@thb_hamburger_skate

おすすめmenu

- クラシックバーガー ¥700
- プルドポークバーガー ¥900
- Bigベーコンバーガー ¥900
- ピクルス（とうがらしまたはししとう）2本 ¥100

大通

ハイセンスな空間でくつろぎながら 多国籍グルメとこだわりのドリンクを

FAbULOUS《ファビュラス》

定番のガレットにサラダや焼き野菜、前菜をトッピングした「ガレットプレート」¥1,980。夕食としてはもちろん複数人でのシェアもおすすめ

カフェレストランに、アートギャラリー、セレクトショップといくつもの顔をもつ複合ショップ。天井が高くハイセンスなインテリアを随所に配置した広々とした空間で、モーニング、ランチ、カフェ、ディナーと時間ごとに異なる料理を提供。ディナータイムは、同店の看板メニューともいえる北海道産そば粉でつくるガレットをはじめ、前菜を豊富に用意。ガレットにぴったりな国内外のシードルや道産ビールなど、思い思いの酒を楽しめるのも魅力といえる。

セレクトショップでは、自社ブランドのアイテムをはじめ、作家の作品や海外のアイテム、洋服や家具などを展開。気に入ったら手に取って購入することも可能だ。

①スタイリッシュな店内は開放的で居心地が良い
②「夜のデザートプレート」¥1,500。ガトーショコラ、チーズケーキ、アップルパイ、ジェラート、自家製プリンが堪能できる欲張りプレート
③やわらかく味わい深い、アルコールと相性抜群の「道産牛のローストビーフ」¥980

アンティークな風合いの外観も魅力的

住 札幌市中央区南1条東2丁目3-1
☎ 011-271-0310
営 M9:00～11:30(LO10:30)、L11:30～15:00、C15:00～17:00、D17:00～21:00(LO20:00)
インテリアショップは11:00～20:00
休 無休　席 28席
P なし　C 不可
地下鉄東西線「バスセンター前」駅3番出口より徒歩約1分
@fabulous_sapporo

take out menu

コーヒーゼリーミルク
¥700

人気のパフェがドリンクに。自分でシーリングができるのも楽しい

西区

こだわりのスイーツやコーヒーを楽しみながら 子どもに戻れるカフェ

KoDoNa Cafe《コドナ カフェ》

毎朝生地を焼き、注文を受けてから
クリームを入れる外はサクサク食感の
「CUBE シュークリーム」¥350

普段忙しい日々を送る大人が、まるで子どものように自由に好きなものを楽しめる空間をコンセプトにした隠れ家的カフェ。

看板メニューは、シュー生地を二度焼きし、カスタードとあっさり生クリームのWクリームを入れたナイフとフォークで食べる四角いシュークリーム「CUBE シュークリーム」。ほかにもオリジナルパフェや固めのプリンなど多彩なスイーツを提供。西区のケンズコーヒーに発注しているオリジナルブレンドのコーヒーは深煎りで、スイーツとも相性抜群。フードはサンドウィッチのほか、アルコールにピッタリな軽食メニューを用意。ランチセットメニューも用意していて、夜はもちろん、昼からも立ち寄りたくなるお店だ。

①

②

③

①落ち着いた雰囲気の店内はカウンター席も用意
②CUBEシューにピスタチオアイスなどを乗せた「ピスタチオのシューパフェ」¥650
③たまごサラダ、目玉焼き、半熟のゆで卵を使用したたまご好きにはたまらない「悪魔の3種タマゴサンド」¥450

JR琴似駅から
すぐそばの雑居ビルの2階

住 札幌市西区琴似2条1丁目3-5
玉田ビル2F
☎ 011-500-2351
営 11:00〜23:00(L11:00〜14:00)
※日曜は11:00〜21:00
休 水曜(祝日の場合は営業、翌日休業)
席 20席　Ⓟなし　Ⓒ可
JR「琴似」駅より徒歩約3分
@kodona_cafe

take out menu

ショコラCUBE
シュークリーム ¥400
※1個注文の場合箱代別途¥30

カスタードとチョコクリームが入ったチョコ好きにオススメのスイーツ

大通

まちなかの大人の隠れ家で 進化したパフェとお酒を堪能

パフェ《パフェ》、珈琲《こーひー》、酒《さけ》、佐々木《ささき》

薔薇の花びらのお茶を加えたいちごソルベと香ばしいカスタードの出合い「苺と焦がしカスタード～薔薇とアールグレイを添えて～」¥1,985

シメパフェの人気店「パフェ、珈琲、酒、佐藤」の姉妹店。ビルの地下の扉を開くと、非日常を感じさせる空間が出迎えてくれる。

　こだわりのパフェは、アイスクリームやソルベ、ソフトクリーム、ムース、焼き菓子に至るまで手作りで、定番4種と季節限定の1種を提供。「佐藤」より大人のパフェをコンセプトに、濃厚な風味と口どけの良さ、ビジュアル性の高さなど「佐藤」のパフェの製法や味を踏襲しながらも、よりアルコールとのマリアージュを考えたメニューを意識。国内外のシングルモルトウイスキーやブランデーなどのアルコール類はもちろん、ネルドリップした深煎りコーヒーとパフェといった大人の贅沢なひとときを楽しみたい。

①扉を開けると目の前にはカウンター席がずらりと並ぶ
②ピスタチオとミルクの2種の味わいが楽しめる「佐々木のソフトクリーム ミックス」¥528
③マイルドな辛さの「自家製バターチキンカレー」¥836

大通駅からほど近いビル、
佐々木の「佐」ののれんが目印

(住) 札幌市中央区南2条西1丁目8-2
アスカビルB1F
(☎) 011-212-1375
(営) 18:00〜24:00
※予約の場合は最終入店20:00
(休) 火曜（祝日の場合は営業、翌水曜や休日）
(席) 19席
(P) なし（近隣に有料Pあり）　(C) 可
地下鉄「大通」駅35番出口より徒歩約2分
@pf_sasaki

take out menu

北海道熊もなか
¥410

ピスタチオ餡と小豆餡の2種の餡が同時に楽しめる

非日常を演出する空間で味わう 極上の赤身肉とスイーツ

inZONE《インゾーネ》 TABEL《テーブル》

札幌駅

西区に本店を構えるトータルインテリアショップ「inZONE」が経営するカフェレストランが、2021年4月に円山エリアから札幌駅エリアに移転。ゆったりとくつろげるソファ席や特別感を感じることができるシックな個室、窓に面したカウンター席など、普段使いから特別な日まで様々なシーンで利用できる。

食材は道産食材にこだわっていて、中でも注目したいのが味の濃い赤身肉が特徴のジェイファームシマザキの牛肉「しまざき壮健牛」。一頭買いで仕入れることで、部位を選べるステーキのほか、多彩な肉料理を提供。また口の中でしゅわしゅわと溶けるような食感のパンケーキをはじめ、スイーツメニューが充実しているのもうれしい。

つい長居してしまいたくなる空間。インテリアは宮の沢や大通のinZONEで買えるものも

①部位ごとに焼き加減を調整して提供する「しまざき壮健牛のロースト」¥1,980。※写真はザブトン
②ランチ限定の「しまざき壮健牛のローストビーフボール」¥1,630
③別海産のバターが味の決め手の「別海産バターとメープルのパンケーキ」¥1,100

おすすめmenu

- しまざき壮健牛のハンバーグ（ランチ）¥1,540
- 道産チーズの濃厚レアチーズケーキ ¥600
- サーモンコンフィ ¥680

座り心地が良いお洒落なファニチャーがお出迎え

ペンダントライトが灯る個室も人気

住 札幌市中央区北5条西2丁目
札幌ステラプレイスセンター6F
☎ 011-209-5398
営 L11:00〜17:00、D17:00〜22:00（LO21:00）※パンケーキオーダーは14:00〜
休 ステラプレイスに準ずる　席 50席
P あり（施設P2,000円以上利用で2時間無料）　C 可
JR・地下鉄さっぽろ駅直結
@inzonetable

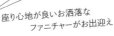

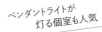

南区

藻岩山の自然の中で味わう 素材にこだわったスイーツ

CAFÉ《カフェ》 de《ド》 ROMAN《ロマン》 藻岩店《もいわてん》

生クリームやアーモンド、カカオなど洋菓子店の素材を使ったカレーとドリンク付きの「ケーキ屋さんのチキンカレーセット」¥1,600

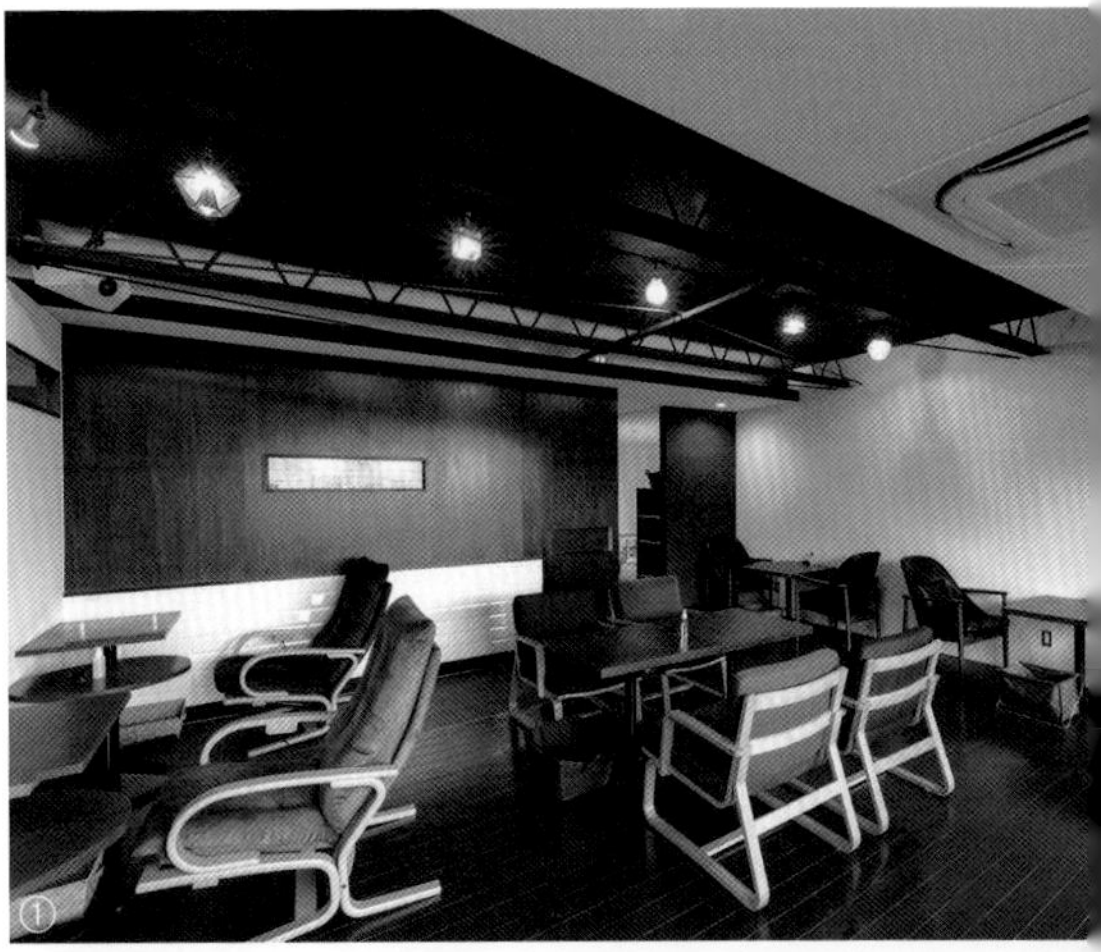

自然豊かな藻岩山中腹にある人気のパティスリー。絶好のロケーションの中で、季節の素材にこだわったケーキをはじめ、看板メニューの「チョコモン」のアフォガードやパフェ、フード、バリスタが淹れる挽きたてのコーヒーなどが楽しめると評判。

客席はテーブル席のほか、春から秋まで利用できる2卓のテラス席や、座敷席も用意。大きな窓からは夏は眼前に広がる緑、冬は札幌の夜景が楽しめるのも魅力。2022年3月から季節ごとに内容の異なる「よくばりパフェ」や20種類ほどのスイーツや軽食を楽しめるアフタヌーンティーも登場。こちらは要予約のため、電話やSNSで事前に確認の上利用したい。

①子ども連れにも配慮し、内装は全て化学物質を使わない素材に。奥には子連れでくつろげる座敷席も用意
②ほろ苦い味わいとブランデーが香る大人の味わいの「ティラミスパフェ」¥1,000
③温かいソースを掛けて味わう人気の「チョコモンアフォガード」¥1,200

坂を登った先にある白い建物が目印

住 札幌市南区藻岩下2丁目2-47
☎ 011-588-2121
営 11:00～17:00（LO16:00、L11:00～13:30）、土・日曜、祝日は11:00～20:00（D17:00～LO19:00）
休 水曜　席 24席
P あり（10台・無料）　C 可
じょうてつバス「南34条西11丁目」停下車、徒歩約13分
@cafe_de_roman

take out menu

もいわチョコモン ¥580

ビーガングルテンフリーな素材でつくる優しい味わいのチョコモン

自然豊かな緑が印象的なカフェ

家族で増築したという、全面ガラス張りの玄関からも緑に茂る庭を眺めることができる。庭園はできるだけ手を加えず、自然そのままの息吹を活かすようにしているという

木漏れ日差し込む古民家カフェで
オーガニック素材を使った料理を堪能

Flower green&café parsli《フラワー グリーン アンド カフェ パスリ》

北区

閑静な住宅街の中、新緑が色づく庭園が目にとまる。細く伸びる石畳の小道を進むと、ヨーロッパの家屋のような異国情緒あふれるカフェ「parsli」にたどり着く。店内には至るところに草木が配され、室内にいながらまるで庭の中にいるよう。元々は店主・恵子さんの旦那さんご両親が住んでいたという家屋を、恵子さんが娘さん夫婦と一緒にリノベーションしてカフェとして生まれ変わらせたのが同店の始まりだ。庭に面した手前のスペースを家族で増築し、玄関に敷かれた石畳のタイルすらも手作りしたものだという。店内にディスプレイされたアンティーク風の家具もＤＩＹしたもので、どれも手作りの域を超えた一点ものばかりが揃う。

こだわりは空間だけではなく食にもあらわれる。料理やドリンクには近くの農園で採れたハーブや野菜を極力使用し、ランチプレートは素材本来の風味や食感が引き立つよう発酵調味野菜を中心に据えるなど、自然への思いが料理にも息づいている。庭から差し込む木漏れ日を感じながら、至福のくつろぎタイムを過ごしてみては。

おすすめ

ワンプレートランチ（ドリンク付き）
¥1,500

フルーツパルフェ
¥1,200

プリン・アラモード
¥700

しそソーダー（自家製しそ）
¥600

左上・旬のフルーツを使った見た目にも可愛らしい「フルーツパルフェ」¥1,200。食べ進めても飽きがこないよう、フルーツのほか自家製ヨーグルトやグラノーラ、ゼリーや白玉などが層になっている
左下・日替わりの「プレートランチ」¥1,500は、メインの料理にサラダとポテト、小鉢やスープがついたお腹も満足の一皿になっている。この日はエビピラフが主体のプレートを提供

Flower green&café parsli

札幌市北区屯田5条5丁目7-3
011-774-6804
11:00〜16:00（LO15:00）
定休土・日・月曜、祝日
12席　駐車場あり（2台・無料）
クレジット不可　Wi-Fi無
JR「太平」駅より車で約10分
@parsli0408

自然に囲まれたロケーションにある
石窯で焼き上げる天然酵母パン

カフェと石窯《いしがま》パンのお店《みせ》
あゆんぐ

南区

右ページ・八剣山の麓、大自然に囲まれた隠れ家のような立地。右隣には系列店のかき氷「花氷」が並ぶ
上・店内からテラス席の向こうに庭を望む
下・ウッディで温もりを感じるやわらかい雰囲気の店内。冬は暖炉でポカポカ。店頭に並ぶパンはハード系から食パン、デニッシュ系が揃う

八剣山の麓で、自家製酵母と道産小麦を使ったパンを提供するカフェ&ベーカリー。店主の小路あゆみさんが自宅を改装した店舗でパンを販売したところ、その味が評判を呼び、2013年にカフェをオープン。手作りの石窯で焼くパンは、外はパリッと中はしっとり食感で、一口味わえば顔がほころぶ。日替わりプレートランチは、旬の食材のキッシュなど数種の総菜に、自家製天然酵母パンがセットに。自家生産または近郊農家の新鮮野菜のサラダや、山菜を使った季節のメイン料理など素材にこだわった手作りがモットー。また、自家栽培のハーブティーなど、気になるメニューを様々用意している。

店舗の内装も店主がコツコツと手をかけたもの。「田舎でカフェを開いて、のんびり過ごしたかったのです」という店は、今では近隣住民や八剣山の登山者、遠方からのゲストなど、多くの人が訪れては、食事と景観を楽しんでいる。自然に囲まれたロケーションにあるので、移りゆく季節を感じながら、リラックスして過ごせる一軒。札幌の中心部からは、車で40分程に立地。ドライブを楽しみながら、こちらを訪れてみては。

右ページ・天気の良い日はテラス席でも食事を楽しめる
上・ランチの人気メニュー「生野菜のピザ」¥1,300。生ハム、温泉卵、ナッツを使った一品
中央・石窯で焼きあげたパンは毎日13種ほどを用意。地元農家のフルーツを使ったパンも人気
下・看板犬のライトくん。ポーチュギーズ・ウォーター・ドッグという珍しい犬種だそう

おすすめ

クロックムッシュ
（サラダ、スープ付）　¥800

スパイシーカレーのカルツォーネ
（サラダ、スープ付）　¥1,100

デザートセット
（ケーキ＋ドリンク）　¥800

ハーブティー　¥450

カフェと石窯パンのお店 あゆんぐ

札幌市南区砥山180-8
011-595-5020
11:00～17:00
定休月・火曜（祝日の場合は営業し翌平日休）
14席、オープンテラス8席　駐車場あり（5台・無料）
クレジット不可　Wi-Fi無
じょうてつバス「豊滝会館前」停下車、徒歩約20分
@ayungu_pan

自由に出入りできる野外テラス席も併設されている。夏期には店内で注文した食事やドリンクを持ち込み、風や木々の緑を感じながらゆったりとした時間が過ごせる

藻岩山を背に佇むカフェで
木々の緑と淹れたての珈琲を堪能

花論珈琲茶房《かろんこーひーさぼう》 藻岩本店《もいわほんてん》

南区

緑が生い茂る藻岩下エリアの住宅街に、フラットな屋根とウッドな外壁が調和したスタイリッシュな建物がある。藻岩山を背に佇む「花論珈琲茶房　藻岩本店」は、木の温もりあふれる2階建てのカフェだ。店内のどこの席からも豊かに生い茂る樹々が眺められ、木漏れ日あふれる野外テラスでは小鳥やエゾリスに出会えることも。

自然を感じる癒しの空間で味わいたいのが、看板のオムライスやキッシュ、パスタといった多彩な食事メニュー。またダブル焙煎した豆を丁寧にサイフォンで抽出したコーヒーは雑味や酸味が少なく、豆本来の香りや味わいを楽しめる。食事や自社工房で作る自家製スイーツとあわせて満喫しよう。

おすすめ

ドレスオムライス	¥1,300
石焼カルボナーラ	¥1,130
竹炭抹茶ロール	¥670
コーヒー	¥690〜

右上・風情ある木製フレームの窓から生い茂る緑を眼前に眺められる2階席。随所にやさしい光が灯る照明が配されている
左上・人気の「竹炭抹茶ロール」や「黒ゴマレアチーズ」など、5種のスイーツから3種が選べる「ケーキ3種盛り」¥1,100
左下・ピラフ風のライスをふわとろ卵で包んだ「ドレスオムライス」¥1,300。口当たりまろやかな自家製デミグラスソースと卵のハーモニーが絶妙の一皿

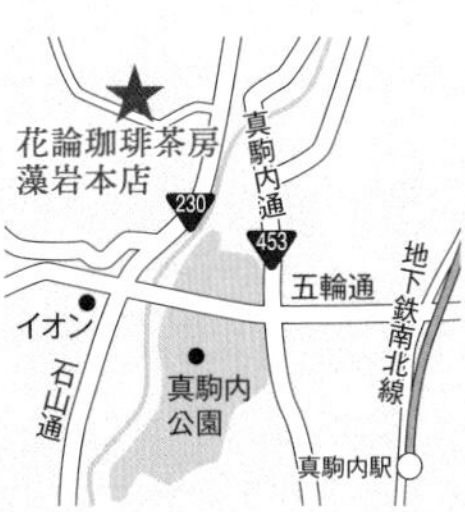

花論珈琲茶房 藻岩本店

札幌市南区藻岩下2丁目4-11
011-583-9349
11:00〜23:00、金・土曜、祝前日〜24:00
定休なし 42席 駐車場あり（30台・無料）
クレジット可 Wi-Fi有
地下鉄南北線「真駒内」駅より車で約8分
@karon_cafe

川のほとりに建つカフェで
自然の音色を聴く

カフェ《カフェ》 崖の上《がけのうえ》

南区

上・海上コンテナを利用した旧店舗の隣に建っているのが現在の店舗
左上・店主の手づくりスイーツはコーヒー付きで各¥1,070。眼下に広がる景色と共に楽しみたい
左下上・鮮やかな緑のグラデーションに包み込まれるような店内
左下・紅葉に色付く秋には、道外から訪れるゲストも

「崖っぷちに建つカフェ」として今や全国的に知られるようになった同店。2006年に海上コンテナを利用してオープンし、定山渓の新しい名所として一世を風靡した。札幌市内とはいえ、都心部から車で30分程度はかかるロケーションにあり、客を待たせたり帰してしまうのが申し訳ないと2017年に建てられたのが現在の店舗。定山渓の樹木に囲まれたカフェの下に流れる白井川。大きな窓から輝くようなグリーンが鮮やかなテーブル席や、壁一面がガラス張りのカウンター席は、四季折々の絶景を満喫する特等席になる。店主の手づくりスイーツを味わいながらこのカフェで過ごすひとときは、円熟したネット社会の今、当然のように世界に配信され、世界が注目する店の一つになっている。

おすすめ

ビター&チョコレートケーキ
¥528

アイスクリーム(6種)
各¥748

ぜんざい(4種)
各¥748

イチゴ・ブルーベリーサンド
M¥792/L¥1,078

カフェ 崖の上

札幌市南区定山渓567-36
011-598-2077
10:00〜18:00
(冬季は日没で閉店の場合あり)
定休月曜(祝日の場合は翌日)
20席　駐車場あり(6台・無料)
クレジット可　Wi-Fi無
じょうてつバス「定山渓大橋」停下車、徒歩約15分

アウトドア気分が味わえる空間で
緑を眺めながら挽きたてのコーヒーを

紅櫻珈琲《べにざくらこーひー》

南区

上・キャンプグッズで揃えられたテーブル席は、まるでグランピングをしているような非日常を楽しめる空間。窓越しに新緑の木々や紅葉など季節の移ろいを感じることができる

右下・柑橘類とハーブでマリネした豚肉をオーブンで焼いて挟んだ「キューバサンド」¥800、ライムとソーダがさわやかな「ライムコーヒーサワー」¥700とも相性抜群

左上・店内にはハンモックも設置。売店では国内で生産しているジンも売っている

左下・本館から歩いてすぐの場所にある橋や釣り池、開拓神社など見どころも豊富

１８８９年に金沢から開拓者としてやってきた奥矢作左衛門と金蔵親子が開拓した敷地面積約２万５０００坪の広大な私設公園「紅櫻公園」。園内入口から車で３分ほど進むと見えてくる紅櫻本館内に景色を楽しみながら自家焙煎したコーヒーが味わえる施設が２０２１年５月に誕生。珈琲焙煎士の佐藤満敬さんが焙煎したコーヒーは、やわらかな酸味と甘味のバランスがとれたシティーロースト。通常の注文のほかに、豆を購入して豆を挽き、ドリップするセルフスタイルのコーヒーをアウトドア感覚で堪能できるのも魅力だ。

公園内は基本的に入場無料だが、イベント時と紅葉シーズンは入園料が５００円必要になるため、事前に公式サイトやＳＮＳのチェックを。

おすすめ

ハンドドリップ珈琲 ¥500

紅茶 ¥400

オリジナルボンボンショコラ ¥300

ジン9148 ¥600〜

紅櫻珈琲

札幌市南区澄川389-6
011-581-4858
11:00〜17:00(LO16:00)
定休月曜(12〜4月は土、日曜のみ営業
※売店は通常営業)　25席
駐車場あり(7台・無料)※他施設Pあり
クレジット不可　Wi-Fi無
地下鉄南北線「自衛隊前」駅より徒歩約30分
@benizakuracoffee

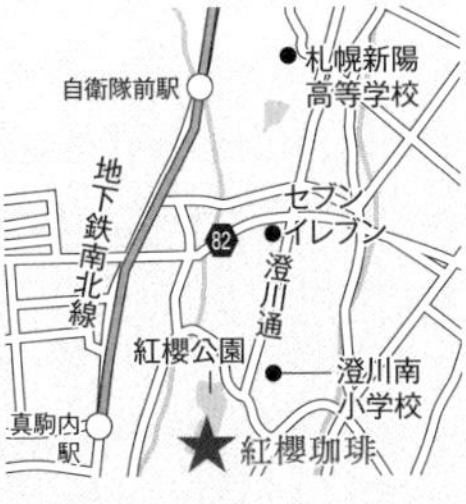

スイーツ
コラム
❸

スイーツと中華がコラボした異業種のスイーツ店

上・「バナナしょこらクレープ」¥700。2種類の生地を融合させたクレープ生地に、ベルギーチョコを使ったチョコカスタードとコクのある生クリームの贅沢な味わい
下・片手で食べられる「スティックチーズケーキ」¥300。ほどよいチーズの塩気とザクザク食感が◎

あのザンギの名店で知られる「中華料理布袋」がスイーツ界に進出。会長であり調理人の佐藤勲さんとパティシエである次男の佐藤雅宏さんがタッグを組んでオープンしたテイクアウト専門店。こちらで扱うのは、ベルギーで修行を積んだ雅宏さんが一つひとつ材料から手作りしている本格スイーツ。パリパリともちもちを融合させた新食感のプレミアムクレープは、ジャムなどにも生のフルーツを使うこだわりの逸品。

また、布袋のザンギを使ったオリジナリティあふれる食事系クレープは、食べ応えがあり人気。店頭のショーケースには、本格ショコラや自慢のカヌレなどのスイーツをはじめ、布袋で人気の中華まん、ザンギなど総菜系も並ぶ。2階にはイートインスペースもあり、気軽にテイクアウトした商品を味わうことができる。

布袋スイーツ 毘沙門天

㊟ 札幌市西区山の手1条12丁目6-18
☎ 011-699-6088
㊖ 10:00～19:30
㊡ 火曜、不定休あり
Instagram▶@hotei_sweets.bisyamonten

シーンで選ぶ
カフェ

くつろぎの朝時間に
モーニング

札幌でたのしむ
異国スイーツ

ひとりでくつろぐ
BOOKカフェ

明るい雰囲気のカフェ空間。北大グッズを販売している「オリジナルショップ」も併設

北大キャンパス内のカフェで味わう　とっておきのモーニングセット

カフェdeごはん《カフェドごはん》

北区

自然豊かな北海道大学キャンパスにあるカフェレストラン。モーニングからディナーまで、通しで寛げる。店内は、葉が茂った様子をイメージしてデザインされ、大きな窓から日の光が差し込み、やさしい空間を演出している。外には木々に囲まれた開放的なテラス席があるのもうれしい。学生や大学職員をはじめ、周辺住民や観光客など一般のゲストも多く訪れている。

出勤前のひとときや、休日の朝をゆったり過ごす人たちの姿もあり思い思いのスタイルで利用できる。時間に合わせ内容が変わるメニューは、しっかりとした食事や見た目も華やかなスイーツ、小腹を満たす軽食と充実した内容が魅力だ。

①モーニングのおすすめ「エッグ・ベネディクトセット」¥600。マフィンにベーコンと温玉をのせ、オランデーズソースをかけた深い味わい
②とろとろ卵が人気の「ビーフシチューオムライスセット」¥950。サラダ、スープ付き（ランチタイム限定）
③構内で育てた牛から搾った牛乳100%使用「北大牛乳使用ソフトクリーム」¥400

おすすめmenu

- 北大野菜とやわらかチキンのスープカレー ¥1,280
- エルムの森パフェ ¥900
- フレンチトースト ¥800

北海道大学の正門からすぐ
この看板が目印！

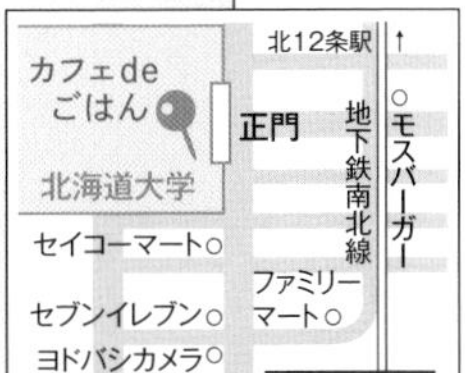

住 札幌市北区北8条西5丁目 北海道大学
インフォメーションセンターエルムの森内
☎ 011-717-2944
営 平日7:45〜22:30、土・日曜、
祝日8:30〜20:30（閉店時間は変動あり）
休 年末年始　席 100席
P なし　C 可
JR「札幌」駅北口より徒歩約5分
@cafedegohan85

広々としたテラス席は
11月上旬まで開放

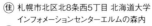

洋食屋に負けないメニュー数を誇る 住宅街に佇む隠れ家カフェ

wake cafe《ウェイク カフェ》

中央区

円山エリア・宮の森の住宅街にひっそりと佇む隠れ家カフェ。フレンチシェフの元で経験を積んだという店主・田村さんが腕を振るう料理は、洋食を中心にバラエティ豊かなメニューが揃う。中でも昔ながらのナポリタンや自家製デミグラスのハンバーグは人気が高いという。

店名の「ウェイク」が意味する通り、夏期は朝の６時から開店し、トースト類は２５０円という驚きの価格で味わえる。自家焙煎の豆を使ったオリジナルブレンドのコーヒーは、店内で味わうほかボトルや容器を持参すればテイクアウトもＯＫ。ほか白石区南郷にある菓子工房「ビーネマヤ」から仕入れるスイーツ類も評判で、コーヒーとの相性も抜群だ。

店内はウッドベースで温もりを感じる居心地の良い空間。4～9月の金・土・日曜は朝6時～9時までモーニング営業をしており、仕事前や運動後に訪れるゲストも多いという

①脂身が少なく柔らかい赤身肉を使った「ランプステーキ丼」¥980。焦がしバターを加えた風味の良い醤油ベースのタレが肉の旨味を引き立たせている
②砂糖で漬けた国産レモンを輪切りにし、厚めにカットしたトーストにのせた「レモントースト」¥400。自家製レモンシロップがかかり、ほろ苦さとさわやかな酸味のハーモニーが特長の一枚
③自家製アイスコーヒーにソフトクリームをのせた、幅広い世代に人気の「コーヒーフロート」¥600

take out menu

オリジナル
アイスコーヒー
ボトル
(1本)¥800

オーガニックコーヒー専門店の「珈和堂」に依頼するハウスブランドコーヒーを自宅で

紺の外壁がシックな印象を与える外観
コーヒー豆を模した看板が目印

㊟ 札幌市中央区宮の森1条10丁目4-33
☎ 011-213-8819
営 10:00～18:00(LO17:00)、4～9月の金・土・日曜のみ6:00～
休 日・月曜　席 20席
P あり(10台・無料)　C 不可
地下鉄東西線「円山公園」駅1番出口より徒歩約15分
@wakecafe_miyanomori

中央区

見飽きることのない四季の移ろいと クラシックな空間と音楽を心ゆくまで

喫茶つばらつばら クラシック《きっさつばらつばら クラシック》

土・日曜の9時～11時までの限定で注文可能な「グッドモーニングセット」￥1,000。プレートは品数も豊富で、洋食と和食の2種が週替りで登場。いずれもコーヒーがセットに

「古きよき喫茶の文化を今に残したい」という思いから店主・出村さんが開業した喫茶店。西11丁目にある「喫茶つばらつばら」の姉妹店で、カウンター席からは四季の移り変わりで新緑に色づく葉や、紅葉に染まる木々が眺められる。

　ゆったりとした時間が過ぎていく店内で味わいたいのが、ハヤシライスやトーストなどの喫茶店らしいメニュー。食事は11時半から注文でき、土日は和食・洋食が週替りで交互に登場するモーニングセットも提供。浅煎り・中煎り・深煎り、3種のハウスブレンドも朝のおともに最適だ。食後には「昭和」「平成」「令和」と、ユーモアあふれるネーミングのパフェや紅茶とともにティータイムも堪能したい。

①

②

③

①クラシック音楽が流れ、ゆったりとした時間が流れる居心地のよい店内。出村さんの「コーヒーを飲んで欲しい、ではなくそこに美味しいコーヒーがあればいい」という思いが詰まった空間だ
②昔ながらのチョコレートパフェにこだわったという「パフェ・昭和」¥900。プラス¥400でドリンクがセットに
③喫茶店定番の「ナポリタン」¥900。ケチャップの濃厚な味わいが特長で、麺は2.2mmのもちもち太麺を使っている

札幌市街を見下ろす
伏見エリアの高台に佇む

(住) 札幌市中央区伏見2丁目2-90
☎ 011-206-9754
(営) 10:00～19:00(LO18:30)、
土・日曜は9:00～
(休) 火・水曜　(席) 23席
(P) あり(6台・無料)　(C) 不可
北海道バス「慈啓会前」停
下車徒歩約2分
@tubara2

take out menu

自家製焼き菓子
(ラズベリーとチョコレートのスコーン)
各¥300
店内で作る自家製焼き菓子を販売。
品揃えは日によって変わる

かわいいドリンク×トゥンカロン SNSで話題の韓国スイーツ

ソウルテラス

直径10センチの「スマイルクッキー」¥385（take out¥375）、トゥンカロン「チョコレート」と「コーンポタージュ」各¥418～（take out¥410）。コーヒードリンク「アインシュペナー」¥715（take out¥702）

韓国マカロンのトゥンカロンやカラフルなルベンクッキーなど、インスタ映えする本場のスイーツやドリンクを楽しめるカフェ。韓国出身の夫婦が営む空間は、白を基調としたオシャレな雰囲気。紅茶の香りが高いミルクティーやシェイクを求めて訪れるゲストも多い。

ショーケースには、見た目もかわいいドリンクやスイーツが並び、何を頼もうか迷ってしまうほど。看板メニューのクッキーは、思わず写真を撮りたくなるラインナップ。餅やシリアル入りの変わり種も用意され、どれも細部までこだわって手作りしている。テイクアウトもOK。韓国好きの人はもちろん、カフェ巡りが好きな人まで存分に楽しめる。

①壁面やテーブルなどを白で統一した明るい店内。ネオンの装飾もあり韓国カフェらしさを演出
②人気の「ギャラクシーエイド」¥715。砂糖漬けしたフルーツを炭酸水で割った色の層を楽しめるお洒落なドリンク
③クマさん型ボトル入りの「ミルクティー」¥715、「シリアルクッキー」¥385

店のロゴはハングル文字で
韓国の雰囲気を感じる

住 札幌市北区北26条西5丁目1-1
リュウルビル1F
☎ 011-792-0908
営 11:00〜19:00(LO18:30)
休 月曜、第1·3火曜　席 11席
P なし　C 可
地下鉄南北線「北24条」駅
1番出口より徒歩約5分
@seoul.terrace

take out menu

ティラミス(左)
クッキー&クリーム(右)
各¥594

スクエア型のカップに入った、
食べ応えのあるケーキ

フォトジェニックなメニューが◎ シンプルかつ洗礼されたカフェ

sal coffee《サル コーヒー》

中央区

K-POPの音楽が流れる明るい雰囲気の韓国風カフェ。現地の洗練されたカフェで見られるワンフロアをオープンにし、モルタルの床で、壁際に沿うようにベンチが設置されているのも特徴的。小さな丸テーブルが幾つか置かれ、中央部分には2人用テーブル2卓というシンプルな配置。メニューは白いネオンが淡く光るカウンター内のオープンキッチンで調理される。

「MORIHIKO.」のコーヒーを使ったエスプレッソメニューや、タカナシ乳業の道産牛乳を使ったラテなど、北海道らしさのあるドリンクが揃う。また、手作りのスイーツは丸いステンレスのプレートにのせて提供されるので、そのかわいい姿に多くのゲストが思い思いに撮影を楽しんでいる。

①

②

③

①四角い形が映える「フルーツの乗ったチーズケーキ」¥450（単品¥600）、「抹茶ラテ」、「塩ラテ」各¥580
②「アイスコーヒー」¥650、追加ホイップクリーム¥50
③バッグやキャップ、ウェアなどオリジナルグッズも販売

白とグレーを基調としたシンプルな空間。あえて色味をなくすことでおしゃれさが際立つ

take out menu

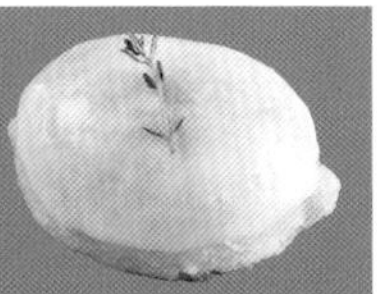

レモンケーキ
¥400
（ドリンクとセットで¥250）

酸味のあるパウンド生地に、さっぱり甘めなシュガーがかけられた一品

店名の“sal”は、北海道弁の“〜さる”にちなんでいるそう

㊟ 札幌市中央区南3条西9丁目999-16
☎ なし
㊮ 12:00〜20:00（LO19:30）
㊡ なし　㊖ 14〜16席
Ⓟ なし　Ⓒ 可
地下鉄東西線「西11丁目」駅
3番出口より徒歩約7分
@salcoffee.sapporo

店内にある鏡を使って自撮りを楽しめる

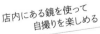

白石区

台湾出身の店主が提供する 本格的な台湾茶&台湾グルメ

台湾茶《たいわんちゃ》&《アンド》台湾食《たいわんしょく》 LOVE《ラブ》 TEA《ティー》

ティータイムに、お茶と点心が堪能できる「台湾茶＋蒸し点心3種ミックス」¥1,100。手作り点心「大根もち（3個）」¥600

人気店が並ぶ白石エリアの立地に、2022年7月にオープンした台湾茶と台湾グルメの専門店。台湾出身のオーナー・ユキさんによる、本格的な茶器で本場の台湾茶を気軽に楽しむことができる。

台湾茶の丸い茶葉の中には、酸化酵素の働きで生まれたおいしさのエキスがぎっしり。お湯を注ぎ足すたびに少しずつ茶葉がほどけて浸出されるので、5～6煎は楽しめる。豆花や台湾カステラなどのスイーツは甘さ控えめで、お茶と一緒にいただくとなんとも幸せな気分に。そのほか、ルーローハン定食やランチ点心セットといったメニューも提供。しっかり手間がかけられ、何を食べてもおいしい。また家でも楽しめるように、台湾茶の販売も行っているのでぜひ。

①ゆっくりと過ごせる落ち着きのある空間。伝統楽器の古琴や小物が飾られ、遊びごころが随所に
②現地の伝統的な豆乳スイーツ「タピオカとタロイモ入り豆花」¥460。甘すぎずヘルシー
③「ルーローハン定食」¥880。まろやかな口当たりに仕上げられ、ごはんとの相性抜群

南郷通り沿い
「きのとや白石本店」の並びに立地

(住) 札幌市白石区東札幌3条5丁目1-11
(☎) 011-799-1905、070-8709-5588
(営) 11:00～21:30
(休) 火曜、不定　(席) 16席
(P) なし　(C) 不可
地下鉄東西線「白石」駅1番出口より
徒歩約4分
@taiwantea22

take out menu

精選台湾茶 各¥320～

台湾から直輸入したこだわりの台湾茶は、約10種類が並ぶ。おうちで台湾気分を楽しんで

カラフルな大物パネルやイタリア製の冷蔵庫など、店内に配された全てのアイテムからオーナー・横井さんのセンスが感じられる。さまざまな文化がブレンドされているが、どこか統一感を感じる不思議な空間になっている

世界のカルチャーがひしめく空間で もちもち食感の生麺パスタを

WORLD BOOK CAFE《ワールド ブック カフェ》

大通

路地裏にあるビルの5階、扉を開けると広がるのは、本や雑貨に囲まれた異世界のような空間。世界各国を回り、そこで見つけた本を購入するのが趣味だったという店主の横井さん。「好きな本と雑貨に囲まれたい」という思いがあふれついに同店を開業。店内には5000冊を超える本が所狭しと並び、1枚1枚が目を引くカラフルなアートパネルが壁に彩りを添えている。

そんな同店で味わいたいのが、創業110年を超える「淡路麺業」から空輸する生麺を使ったパスタだ。モチモチとした食感が特長で小麦本来の風味と食感を最大限に引き出している。ほかランチはセット注文もでき、ベイクドチーズケーキやカタラーナといったスイーツ類にも注目したい。

①合い挽き肉の旨みが溶け込んだ中華風のソースと、もっちり生パスタが相性抜群の「なすと合いびき肉の麻婆風パスタ」¥1,000。こちらは週替わりのメニュー
②自家製スイーツとドリンクがセットになった「デザートセット」¥900。スイーツは自家製ベイクドチーズをはじめ5種から選べ、ドリンクはコーヒーや紅茶など種類も豊富。12時～21時まで注文可能
③天井から吊るされている店名が刻まれたオーダーメイドの照明。店内は随所に遊び心満載の小物が配されている

take out menu

アフリカンミックス
¥600

コーヒーをはじめ、ドリンク各種のテイクアウトも可能

地球を模したアイコンが刻印された看板

㊟ 札幌市中央区南1条西1丁目2 大沢ビル 5F
☎ 011-206-7376
営 12:00～22:00（L12:00～16:00、D17:30～21:00／LOフード21:00、ドリンクLO21:30）
休 不定休　席 32席　P なし　C 不可
地下鉄「大通」駅32番出口より徒歩約3分
@worldbookcafe

人気絵師『ざしきわらし』さんが描いた壁画アート

カウンター越しにバリスタが淹れるコーヒーの豊かな香りが広がる。書棚には小説から写真集まで幅広いラインナップ

ホテルに併設するブックカフェで 心ゆくまで本の世界を旅してみよう

LAMP LIGHT BOOKS CAFE《ランプ ライト ブックス カフェ》

大通

狸小路7丁目アーケード内にあるランプライトブックスホテルにあるブックカフェ。「本の世界を旅するホテル。」がコンセプトで、「旅」と「ミステリー」をテーマにした書籍を中心に、約4000冊の本をラインナップ。カフェでは、札幌の名店「MORIHICO.」のコーヒーやスイーツ、「パンオトラディショネル」のパンを提供。

ブックストアの本は、購入しなくても読むことが可能なので、お気に入りの本を見つけてゆっくりと試し読みもできる。ショッピングの合間の休憩スポットとして、コンセント付きのカウンター席もあり、リモートワークでの利用もOK。もちろん宿泊もできるので、日常を忘れて贅沢な時間を過ごしてみるのもおすすめ。

①「MORIHIKO.」のコーヒーやスイーツ、「パンオトラディショネル」のパンを提供
②「LBH オリジナルロゴ入りクッキー（プレーン／ココア）」各¥220、「フロランタン」¥275
③絵本や写真集もあるので、活字に疲れた人は目で癒される本もおすすめ

take out menu

ドリップコーヒー
¥550

ハンドドリップで
丁寧に淹れる
香り高い一杯

ホテルのなかにある
ブックカフェスペース

㊟ 札幌市中央区南2条西7丁目5-1
ランプライトブックスホテル札幌 1F
☎ 011-218-1511
㊖ 24時間営業（フード提供7:00〜22:00）
㊡ なし　(席) 44席
Ⓟ なし　Ⓒ 可
地下鉄南北線「すすきの」駅2番出口、
「大通」駅1番出口より徒歩約9分
@lamplightbookshotel_sapporo

狸小路の街並みを再現した
「路地裏BOOKSHELF」も展示

大通

お気に入りの一冊を片手に こだわりのパニーニを楽しむ

MJ BOOK CAFE《エムジェイ ブック カフェ》

道産小麦を使った無添加のパンでベーコンやトマトといった具材を挟んだ「厚切りベーコンのパニーニ」¥550。ほかにチキンとポークの2種のパニーニとクロワッサンも注文可能

大通にある「ジュンク堂書店」内の2階にある「MJ BOOK CAFE」。地下鉄から直結とアクセスもよく、白を基調とした清潔感のある店内は女性一人でも入りやすい。時間帯を問わず日々多くの人で賑わい、待ち合わせや読書、勉強などさまざまなシーンで利用ができる。

食事はクロワッサンやパニーニといった4種のパンが味わえ、ランチには3種のパニーニから1種を選び、日替わりスープとドリンクが付いた「ランチセット」も提供。注文が入ってからマシンで一杯ずつ抽出するコーヒーは、雑味がなくすっきりとした味わいで、自家製スイーツはコーヒーとの相性も抜群だ。お気に入りの一冊を持ち込んで、ほっと一息つける読書タイムを楽しんで。

①

②

③

①店内は読書を楽しむ人や調べものをする人など、静かで落ち着いた雰囲気。ジュンク堂書店内の本は、必ず購入したのちに持ち込もう
②イタリアンブレンドの豆を使った、すっきりとした味わいの「カフェラテ」¥380
③濃厚だが後味がさっぱりとした自家製スイーツ「濃厚チーズケーキ」¥420。ほかガトーショコラや季節のケーキも随時登場

MJ BOOK CAFE

フクロウのアイコンをあしらったロゴがかわいらしい

住 札幌市中央区南1条西1丁目8-2
高桑ビル2F（ジュンク堂書店内）
☎ 011-215-0145
営 10:00〜21:00（L11:30〜15:00）
休 なし　席 48席
P なし　C 不可
地下鉄「大通」駅より直結

take out menu

厚切りベーコンの
パニーニ ¥550
パン4種やドリンクはテイクアウトでの販売も行っている

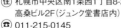

札幌駅
Café&Bar ROGA …… 44
Tapio …… 46
inZONE TABLE …… 86

北区
けんちくとカフェ kanna …… 10
HARVEST MOON …… 12
神野喫茶店 × JINNO COFFEE …… 62
Flower green & café Parsli …… 90
カフェ de ごはん …… 106
ソウルテラス …… 112

西区
Rain MIYANOSAWA …… 52
KoDoNa Cafe …… 82
布袋スイーツ 毘沙門天 …… 102

白石区
COFFEE STAND 28 …… 22
シュシュウルフ
歯のいらないハンバーグ …… 66
台湾茶&台湾食 LOVE TEA …… 116

南区
SIX COFFEE&CHOCOLATE …… 28
CAFÉ de ROMAN 藻岩店 …… 88
カフェと石窯パンのお店 あゆんぐ …… 94
花論珈琲茶房 藻岩本店 …… 98
カフェ 崖の上 …… 100
紅櫻珈琲 …… 102

清田区
Café ZIKKA …… 64

豊平区
サッポロ珈琲館 平岸店 …… 42

エリア別 INDEX

大通

菓子と喫茶 SIROYA ………… 16
北菓楼 札幌本館 カフェ ………… 32
季の菓子工房 しゅう ………… 68
ハリネズミ珈琲店 ………… 76
FAbULOUS ………… 80
パフェ、珈琲、酒、佐々木 ………… 84
WORLD BOOK CAFE ………… 118
LAMP LIGHT BOOKS CAFE ………… 120
MJ BOOK CAFE 札幌店 ………… 122

中央区

春楡珈琲 ………… 20
cafe&dining bar Insomnia ………… 36
和洋折衷喫茶 ナガヤマレスト ………… 40
LA MAISON NOLLYS ………… 46
絆珈琲店 ………… 48
conifer ………… 50
wake cafe ………… 52
カフェ エッシャー ………… 54
ZOU CAFE ………… 58
あめつち by 35stock ………… 60
えにかいたもち ～札幌のおもち専門店～ ………… 68
銀珈琲店 ………… 70
髙橋バーガー ………… 78
喫茶つばらつばら クラシック ………… 110
sal coffee ………… 114

すすきの

薄野喫茶 パープルダリア ………… 72
Cafe&Bar 日晴堂 ………… 74

円山

MaShu 神宮の杜 ………… 14
紫陽花珈琲 ………… 18
Patisserie cafe L'Or ………… 24
pudding maruyama ………… 26
Sagesse et histoire ………… 30
パーラートモミ ………… 56

た

台湾茶&台湾食 LOVE TEA …… 116
髙橋バーガー …… 78
Tapio …… 46

は

HARVEST MOON …… 12
パーラートモミ …… 56
Patisserie cafe L'Or …… 24
パフェ、珈琲、酒、佐々木 …… 84
ハリネズミ珈琲店 …… 76
春楡珈琲 …… 20
FAbULOUS …… 80
pudding maruyama …… 26
Flower green&café Parsli …… 90
紅櫻珈琲 …… 102
布袋スイーツ 毘沙門天 …… 104

ま

MaShu 神宮の杜 …… 14

ら

LA MAISON NOLLYS …… 46
LAMP LIGHT BOOKS CAFE …… 120
Rain MIYANOSAWA …… 52

わ

WORLD BOOK CAFE …… 118
和洋折衷喫茶 ナガヤマレスト …… 40